Christophe Boltanski

La cache

Gallimard

Spécialiste de l'Afrique subsaharienne et du Proche-Orient, Christophe Boltanski a été journaliste à *Libération* avant de codiriger le service Étranger du journal. Il a remporté en 2010 le prix Bayeux-Calvados des correspondants de guerre pour son reportage sur une mine du Nord-Kivu, *Les mineurs de l'enfer*. Il est actuellement grand reporter à *L'Obs*. *La cache*, son premier roman, a reçu le prix Femina 2015.

À Anne et Jean-Élie

VOITURE

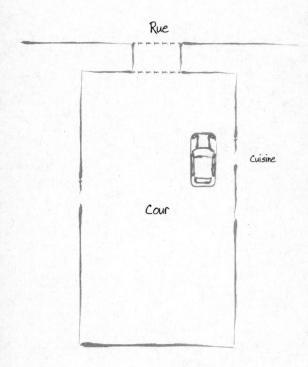

1

Je ne les ai jamais vus sortir à pied seuls ou même de conserve. Accomplir cet acte tout simple qui consiste à déambuler le long d'un trottoir. Ils ne s'aventuraient hors de la maison que motorisés. Assis, l'un contre l'autre, à l'abri d'une carrosserie, derrière un blindage, même léger. Dans Paris, ils circulaient à bord d'une Fiat 500 Lusso, de couleur blanche. Une voiture simple, maniable, rassurante, à leur échelle, avec sa rotondité, sa taille naine, son compteur de vitesse gradué jusqu'à 120 km/h, son moteur bicylindre à l'arrière qui produisait un râle, un toug-toug de vieux canot crachotant. Ils la garaient dans la cour pavée, face au portail, prête à partir, le long de l'aile principale, presque agglutinée au mur, comme la capsule de sauvetage d'une fusée. Sa portière avant droite tournée invariablement vers l'entrée de la cuisine. Pour l'atteindre, ils n'avaient qu'un petit escalier en pierre à franchir. Afin de faciliter la descente, un degré supplémentaire avait été taillé dans une portion de marche, à mi-hauteur. Une fois en bas, il ne leur restait qu'à plonger à l'intérieur de l'habitacle, en s'agrippant à la poignée. Ils n'abandonnaient personne derrière eux. Nous partions tous ensemble. Elle, au volant. Lui, à côté d'elle. Jean-Élie, Anne et moi, entassés sur la banquette arrière.

Elle portait des lunettes très grandes, avec une monture marron clair et des verres ovales, légèrement teintés. Avant de tourner la clé, elle se penchait vers la petite glace fixée au dos du pare-soleil, tapotait ses cheveux de la paume pour les faire gonfler en coque, tendait ses joues, esquissait un sourire en cul-de-poule pour inspecter son fond de teint et son rouge à lèvres, puis démarrait dans un bruit de casseroles répercuté par les façades. Aux commandes de sa pétrolette qui, à chaque tour de piston, était prise de violents tremblements, elle se transformait en cyborg. Elle ne faisait qu'une avec sa machine. Ses jambes mortes ne pouvant appuyer sur des pédales, de longues manettes, sortes de manches à balai, comme dans de vieux coucous, avaient été ajoutées, avec la complicité de je ne sais quel garagiste, afin de lui permettre de freiner, d'accélérer, donc de conduire, ce qu'elle faisait à une vitesse appréciable, avec des pointes, à chaque fois qu'elle croisait un piéton en train de traverser hors des clous. Elle fonçait avec une joie rageuse, de préférence sur les vieillards claudicants, mais autonomes, pour les punir de leur

peu de liberté de mouvement et effrayer ses pas-
sagers. Elle n'a jamais écrasé personne. J'ignore
si elle possédait un permis, et si oui, par quel
stratagème elle l'avait obtenu. Elle adorait ça.
C'était sa chaise roulante, ses jambes retrouvées,
sa victoire sur son immobilité forcée.

2

Quand avaient-ils cessé de marcher dans les
rues ? Elle, je sais. Au début des années trente.
Depuis sa polio, attrapée peu de temps après
la naissance de Jean-Élie, durant ses études de
médecine, et son refus inébranlable de porter
des béquilles, d'apparaître en public comme une
personne faible, privée d'une partie d'elle-même.
Lorsqu'un serveur dans un restaurant se précipi-
tait pour lui tenir la porte, elle lui hurlait qu'elle
n'avait besoin de personne. Elle détestait la pitié
feinte, l'amabilité hautaine que les bien portants
ou supposés tels manifestent à l'égard de ceux
qui ne le sont pas. Mais lui ? À quel moment a-t-il
décidé de ne plus aller à pied à son travail ? De
ne plus flâner le long des quais pour feuilleter
les livres des bouquinistes ? De ne plus faire de
courses ? De vivre sans un sou dans ses poches ?
De boycotter les transports en commun ? De ne
plus s'attabler seul à une terrasse de café ? De
ne pas mettre le nez dehors sans être accompa-

gné ? Était-ce son choix ou celui de son épouse ? Souffrait-il d'une forme aiguë d'agoraphobie ? Voulait-il, en boudant un mode de locomotion naturel à l'homme, manifester sa compassion ou plutôt son amour pour une femme partie en guerre contre les lois de la mécanique ?

Elle lui servait de chauffeur. Elle le déposait devant des bâtiments officiels, en pierre de taille, le regardait disparaître derrière des portes monumentales surmontées d'un drapeau tricolore, puis guettait son retour. Elle le transportait partout. Comme un grand blessé. À l'hôpital quand il exerçait encore, à des commissions où il débattait d'invalidité et d'inaptitudes, à des congrès savants sur le handicap. Elle l'emmenait en pleine nuit, avec ses enfants endormis, au chevet de moribonds ou, plus fréquemment, de sujets hypocondriaques. Sans son escorte, il se serait sans doute égaré. Ce médecin scrupuleux, adulé par ses patients, bardé de diplômes, d'honneurs, de décorations, était comme un enfant nu au milieu de gens habillés. Tour à tour joyeux, tourmenté, souffrant, il avançait dans la vie sans position de repli, sans refuge, tel un crustacé privé de sa carapace, laissé à la merci du premier prédateur venu. Incapable de mentir ou de dissimuler ses sentiments, il pouvait, sous le coup de la moindre émotion, éclater en sanglots. Un texte, une musique, une remarque, un souvenir suffisaient à le faire pleurer ou rougir jusqu'aux oreilles.

La tête large, le cou puissant, le front haut, le crâne aplati, les cheveux ras, clairsemés. Physiquement, il ressemblait un peu à Erich von Stroheim, la raideur prussienne en moins. En public, il n'affectait pas le style – totalement inventé dans le cas de l'acteur et réalisateur américain d'origine austro-hongroise – du junker galonné à tendance sadique, mais celui, tout aussi fantaisiste dans le sien, du gentleman anglais, à la fois délicat, pudique et réservé. À cette fin, il arborait une fine moustache, divisée en deux, à la David Niven, revêtait toujours, sous sa veste, un gilet de laine de couleur beige, fumait une pipe en racine de bruyère, au tuyau droit, de qualité courante, généralement fabriquée à Saint-Claude, et manifestait un goût pour le whisky, alors qu'il ne buvait quasiment pas d'alcool. Avec ses longs yeux en amande, rehaussés de cils bien dessinés, il portait autour de lui un regard perpétuellement étonné, comme si le monde entier demeurait un mystère. Nous devions le protéger, rester unis, former un cordon autour de sa personne. Quoi qu'il advienne, nous étions ses gardes du corps. Ses airbags, prêts à gonfler au premier choc.

3

Objet mythique des films italiens des années cinquante, la Fiat de deuxième génération, dite

Nuova 500, faisait penser à un bocal pour poissons rouges, à un sous-marin de poche, à un ovni, et moi, son passager, à un Martien projeté sur une planète inconnue. Dans son pays d'origine, on l'appelait la « *bambina* ». Moins flatteurs, les Français l'avaient surnommée le « pot de yaourt ». Son plancher rasait le sol. Sa tôle avait la finesse d'une feuille de papier. L'absence de portes et plus encore de fenêtres ouvrantes à l'arrière renforçait la sensation d'enfermement. Je pouvais passer des heures, adossé au moteur dont je sentais chaque pulsation, brinquebalé dans tous les sens, le corps en chien de fusil, les genoux coincés contre le siège avant, le visage collé au hublot, à regarder défiler, en contre-plongée, un Paris à l'époque presque uniformément noir, un paysage monotone flouté par la buée. Assourdi par les grondements discontinus de la machinerie, je remontais de grandes artères couvertes de suie, la rue Bonaparte, le boulevard Morland, l'avenue de Ségur, la rue de Sèvres, la rue Vaneau, l'avenue du Maine, dans un état d'apesanteur, comme si j'évoluais dans un monde sombre et aqueux (ne dit-on pas d'une circulation qu'elle est fluide ?), dans des fonds d'encre, des fosses abyssales peuplées de poissons diaphanes. J'étais blotti en position fœtale, à l'intérieur de ce caisson de forme ovoïde, exposé aux regards des autres et curieusement invisible, dans cet utérus sur roues piloté par ma grand-mère, au milieu de l'agitation de la ville.

Ils habitaient un de ces hôtels qui portent généralement des noms de marquis ou de vicomte, au milieu de la rue de Grenelle. Étrangers à la noblesse et à tout ce qui s'y rapporte, ils ne faisaient pas pour autant partie du faubourg Saint-Germain qui, depuis Balzac, désigne moins un quartier qu'un groupe social, des manières, un air, un parler. Jusqu'à ce que je décide, vers l'âge de treize ans, de vivre en permanence avec eux, ils me gardaient les jours de repos, soit près de la moitié de la semaine. Ils venaient me chercher, dans le 14e arrondissement, à la sortie des classes, rue Hippolyte-Maindron, le mardi après-midi (ou était-ce encore le mercredi ?), me ramenaient chez ma mère, impasse du Moulin-Vert, le soir suivant, et me reprenaient le week-end, du samedi midi au dimanche. Ils étaient tous là, à m'attendre, dans la Fiat, en face de l'école, puis plus tard, à distance respectueuse du collège Lavoisier. Chaque année, à mesure que j'avançais dans ma scolarité, ils se garaient un peu plus loin, rue Pierre-Nicole, puis rue des Feuillantines, voire près du Val-de-Grâce, afin de ne pas m'embarrasser devant les autres élèves. Un jour, qui correspondait sans doute avec le passage à l'adolescence, je finis par prendre le 83, à l'arrêt Port-Royal, direction Bac-Saint-Germain.

Enfant, mon oncle Christian passait chaque matinée, de 9 h 15 à 12 h 30, assis à cette même place, dans une traction avant, cette fois (à moins qu'il ne s'agît d'une ID 19, la version simplifiée de la DS), pendant que son père assurait son service à Laennec. L'hôpital, avec son ballet d'ambulances et de fourgonnettes de police pimponnantes, le terrifiait. À raison, il l'associait à la souffrance et à la mort. Était-ce pour lui épargner un tel spectacle ou par respect des règles de stationnement ? La Citroën était parquée, non devant l'entrée principale, rue de Sèvres, mais côté Vaneau. Que fait-on dans une cabine vitrée, en plein Paris ? On contemple la vue. Les contractuelles qui glissent des PV derrière des essuie-glaces, les acrobaties d'un conducteur qui tente vainement de s'intercaler entre deux pare-chocs, les ouvriers armés de marteaux piqueurs en train de défoncer un trottoir, les pigeons qui se posent sur une gouttière, un pan de ciel voilé par les gaz d'échappement. Christian fixait les passants. À la longue, il les connaissait tous : la rombière en gabardine, le triporteur des postes, le vieillard à l'imperméable, la femme au landau. Il guettait en particulier, le front appuyé sur la vitre, l'arrivée d'une petite fille dont il était tombé amoureux, sans jamais lui adresser la parole.

Il a patienté jusqu'à l'âge adulte avant de se

hasarder hors de chez lui sans son enveloppe protectrice. La première fois, il avait dix-huit ans. Il ne marcha pas très longtemps. À peine cinq cents mètres, entre la rue de Grenelle et une toute petite galerie, baptisée Les Tournesols et spécialisée dans l'art yiddish, que sa mère avait ouverte rue de Verneuil afin de lui trouver une activité. Il assurait la permanence et peignait en même temps, dans l'arrière-salle. Au bout de quelques mois, il prit la direction des lieux et commença à exposer des peintres qu'il avait lui-même choisis, comme Jean Le Gac. J'ignore si, à l'issue de cette première excursion en solitaire, quelqu'un vint le chercher. Ses parents continuèrent encore plusieurs années à l'accompagner en voiture, lors de chacun de ses déplacements. À l'académie Julian où il suivait des cours de dessin, à des musées, des expositions. Luc, mon père, affirme avoir acquis son autonomie plus tôt. Mais lorsqu'il émit, à peu près au même âge, l'idée d'aller faire de la voile, histoire de prendre l'air, il se retrouva avec toute sa famille sur un bateau. Un monocoque de dix mètres de long, pourvu d'un skipper, amarré au port de Graau, en Frise néerlandaise. Comment sa mère réussit-elle, avec ses pattes folles, à se hisser à bord ? « S'il avait voulu traverser le désert en caravane, nous serions tous montés sur des chameaux », dit Christian.

En hiver, pendant ses longues heures d'attente, elle laissait le moteur tourner, pour conserver le chauffage. Elle posait une bouillotte entre ses cuisses, la recouvrait d'un plaid et noircissait des feuilles en s'appuyant sur une tablette en cuir. Sous le pseudonyme d'Annie Lauran, elle écrivait des romans inspirés de son enfance triste et solitaire, de son adoption, son « achat », disait-elle, par sa marraine, grande dame excentrique et patronnesse, de son père, avocat rennais désargenté et morphinomane, miné par ses échecs politiques, de son frère, un aventurier frappé par la folie des grandeurs, exilé dans les îles Australes, tel Napoléon à Sainte-Hélène. De très beaux livres campés dans un pays d'autrefois, fait de cathédrales et de baptistères, une Mayenne humide, superstitieuse, une France d'outre-mer, coloniale et étriquée. Elle était aussi l'auteur d'essais quasi sociologiques. Des enquêtes étonnamment prémonitoires sur la seconde génération d'immigrés, les « enfants de nulle part », comme elle les appelait, ou le rejet du « troisième âge », formule en vogue dans les années soixante-dix, avant l'invention des seniors et du pouvoir gris. Elle se revendiquait d'une « littérature au magnétophone » qui se livrerait à un strict enregistrement du réel, à l'instar du cinéma vérité de Jean Rouch, d'une écriture neutre, débarrassée de toute forme de psychologie. Au total, une vingtaine de titres publiés chez Plon ou Pierre-Jean Oswald, et plus tard par les Éditeurs français réunis, la maison du Parti communiste, avec souvent, en couverture, des photographies, des collages de Christian. Une œuvre injustement tombée dans l'oubli.

6

Quand, après ma naissance, elle dut adopter, conformément à son nouveau statut d'aïeule, un terme sinon affectueux, du moins familier, elle choisit, comme sobriquet, « Mère-Grand ». À cause du Petit Chaperon rouge ou plutôt du Grand Méchant Loup, cette hydre à deux faces qui allie douceur et grosse voix, innocence et prédation, chemise de nuit et pelage gris, bonnet de coton et crocs éclatants. Elle aimait provoquer, brouiller les codes, séduire et intimider à la fois. « Mamie », surnom choisi par mon autre grand-mère, du côté maternel, ne lui aurait pas convenu. Elle ne faisait pas partie de ces vieilles dames doucereuses qui mitonnent gâteaux et confitures pour leur descendance. Pas question d'être enfermée dans la case bonne-maman, avec son lot de sourires bienveillants, d'indulgence, d'attention forcée, accordés au gamin capricieux, sous les regards attendris des passants.

Elle possédait un appétit de vivre féroce. Elle bouillonnait, ainsi qu'une chaudière sous pression, incapable de transmettre son trop-plein d'énergie à ses roues motrices. Comme l'animal du conte, elle était clouée au lit et taraudée par une faim dévorante. Elle nous avait tous avalés, à l'instar de la fillette vêtue de pourpre. Nous étions devenus ses bras, ses jambes, une prolongation de son propre corps.

Dans un lieu ouvert à tous – un hall d'aéroport, une terrasse de café, une salle de cinéma ou le salon du livre de la fête de *L'Humanité*, j'avais interdiction de l'appeler Mère-Grand ou de prononcer toute autre formule équivalente qui aurait pu évoquer son âge, un sujet sur lequel elle gardait le plus grand secret. Au moment où j'écris ces lignes, je ne sais toujours pas avec précision quand elle est née et je répugne à faire les recherches nécessaires auprès des administrations concernées, par crainte de violer son intimité la plus profonde. Elle refusait, disait-elle, « tout ce qui marque ». À commencer par le poids des années, ce lent déclin, cette dégradation physique, cette vie diminuée qui la renvoyait à sa maladie, autre avilissement qu'elle n'avait cessé de combattre. Elle prenait un soin infini à son apparence. Elle se teignait les cheveux en noir auburn, abusait de la crème autobronzante et, en dépit de ses difficultés à se déplacer, portait des talons hauts afin de se grandir de quelques centimètres. Devant des inconnus, je devais donc dire « Ma tante », expression plus respectueuse, surtout plus intemporelle, moins liée à la vieillesse que la locution certes burlesque, mais peu flatteuse, dont elle s'était gratifiée. Pour ne pas risquer de m'embrouiller, j'évitais de l'interpeller en public.

7

Bien entendu, il nous arrivait de sortir de notre vaisseau spatial pour aller voir un film, américain de préférence, ou dîner au restaurant. Des lieux choisis en fonction de leur facilité d'accès et de leur anonymat. Comme les cinémas Maine, Escurial, Mac-Mahon, dont les salles étaient de plain-pied. Ou de grandes brasseries bruyantes et impersonnelles, telles que La Coupole ou Le Select, situées de part et d'autre du boulevard Montparnasse, ou encore Les Ministères, un établissement de la rue du Bac. Jamais de bistrots français, avec table à carreaux, cuisine dite traditionnelle, bouts de chandelles et patron aux petits soins. Nous voulions nous fondre dans la masse des convives ou des spectateurs. Malgré nos efforts pour rester discrets, je sentais le poids des regards dès que nous débarquions quelque part. Nous constituions un curieux attelage, avec nos silhouettes petites, noiraudes, maigres, hormis mon grand-père, plus volumineux, et avec notre démarche de tortue, nos airs graves, presque aux aguets. Main dans la main, collés les uns aux autres, nous formions un seul être, une espèce de gros mille-pattes. J'avais évidemment un peu honte de ces créatures si frêles, si vulnérables. Elle, soutenue de part et d'autre, lui, aidé d'une canne. Nous autour. Quand je ne leur offrais pas mon bras, je faisais comme si je ne les connaissais pas, je passais devant, je regardais en l'air. Autant j'aimais la chaleur, la promiscuité de la Fiat, autant je redoutais ces sorties à découvert, ces quelques mètres à parcourir à la vue de tous.

8

Elle, lui, nous, cette fois, en mission. Propice aux rituels, profanes ou religieux, la matinée dominicale débutait par la vente de *L'Humanité dimanche*. L'encartée, c'était elle. Un engagement davantage dicté par sa loyauté envers sa maison d'édition que par sa foi en une idéologie restée toujours un peu floue dans son esprit. En dépit de son handicap, elle allait, au moins une fois par mois, chercher l'hebdomadaire à la section du 7e, rue Amélie, afin de le distribuer aux rares adhérents de l'arrondissement. Elle s'occupait de la conduite, Jean-Élie et Anne de la livraison. Conformément à la sociologie du quartier, la cellule à laquelle elle appartenait comptait un nombre appréciable de cadres et de professions intellectuelles supérieures, voire de chefs d'entreprise de dix salariés ou plus, pour reprendre la nomenclature de l'INSEE. Dans le cas de cet échantillon peu représentatif du Parti communiste français, il serait plus judicieux de parler de nomenklatura au sens des pays de l'Est. L'avocat défendait la Confédération générale du travail, le banquier gérait les avoirs soviétiques en France, le poète siégeait au Comité central, l'éditrice publiait les camarades écrivains. Résidant en pays ennemi, ils évitaient toute forme de prosélytisme de type collage, tractage ou colportage. Bourgeois assumés, mais militants clandestins, ils observaient la plus grande discrétion sur leurs activités politiques. Quand Anne leur livrait le journal à domicile, ils se dépêchaient de la faire entrer et claquaient la porte derrière elle, de peur d'être surpris par un voisin avec cette littérature séditieuse. Ils hésitaient à traiter cette jeune fille en compagnon, plutôt compagne, de route, ou en coursière à qui on glisse un pourboire. L'un d'eux lui avait demandé si elle pouvait en profiter pour lui rapporter des croissants.

Après *L'Huma*, il y avait la messe. À Saint-Sulpice. Ou plutôt devant. Sur le parvis. Ni elle ni lui n'entraient dans l'église. Toujours cette même répartition des rôles : Jean-Élie et Anne en éclaireurs, happés par le portail monumental. Mes grands-parents et moi dans la voiture suiveuse, attendant la fin de l'office, assis, recueillis, prosternés, au pied des marches, sous l'immense péristyle. La Fiat invite aux génuflexions. Sortaient-ils un missel ? Murmuraient-ils des Ave et des Pater ? Priaient-ils par procuration, à travers leurs enfants émissaires ? Je n'ai retenu qu'un long silence, une place vide, une fontaine minérale d'où aucune eau ne jaillissait. Kiosque à journaux fermé. Mendiants adossés aux colonnes, immobiles. Chaises empilées derrière la vitrine du Café de la Mairie. Parking désert. Et moi, perdu dans la contemplation d'une affiche de cinéma, étalée sur la façade du Bonaparte, cherchant à déchiffrer le titre du film, à travers les rangées de marronniers, inquiet de ne pas voir mon oncle et ma tante resurgir de cet édifice dissymétrique, presque difforme, à l'affût des cloches, signal de leur délivrance et de notre départ.

La matinée se terminait dans le Marais, rue des Rosiers, qui, à l'époque, n'était pas encore cette voie piétonnière envahie par des boutiques de luxe et des vendeurs de falafels, mais une artère vivante et populaire. Un autre rituel. On achetait du pain au cumin, des gâteaux aux pavots et de la tarte au fromage blanc à la boulangerie Finkelsztajn, de la charcuterie et des molossols chez Goldenberg, Blum ou Klapisch – la question de savoir lequel des trois proposait les meilleurs pastramis, pickelfleisch et leberwurst donnait lieu à d'interminables débats, et, dans une épicerie dont j'ai oublié le nom, tapissée de petits carreaux bleus, rue des Hospitalières-

Saint-Gervais, du pain azyme que je dévorais recouvert de beurre et de jambon blanc, une double transgression, au regard de la kashrout, qui faisait sourire Grand-Papa. Je n'ai pas le souvenir d'avoir perçu de contradictions dans cette longue séquence dominicale. En tout cas, pas avant un âge tardif. Et lui, qu'en pensait-il ?

9

Par les hasards de l'existence, son propre père entretenait lui aussi un rapport étroit à la voiture. Il aurait dû rouler en carrosse, debout, déguisé en Méphistophélès, cape rouge et sourcils en cédille, sous les acclamations de la foule. Au lieu de cela, les carrosses, les berlines, il les fabriquait. Il avait grandi à Odessa, cette ville de la mer Noire peuplée de musiciens. Enfant du ghetto, issu d'une famille modeste et pieuse, il possédait une voix extraordinaire. Un riche marchand homosexuel (ou une dame de charité, selon les versions) finançait ses cours de chant et lui répétait qu'il était le nouveau Fédor Chaliapine. Les planches du théâtre impérial l'attendaient. Il allait interpréter Boris Godounov. Il agoniserait devant le tsar. Il postillonnerait des « Ah ! Ah ! Ah ! Blacha ! » à la face du roi d'Angleterre (fantasme apparemment assez banal en Russie : des années plus tard, l'écrivain Romain Gary se voyait promettre le même avenir par sa mère). Une tuberculose des cordes vocales avait mis fin à ses ambitions lyriques et à ses rêves de gloire. Sous la pression conjuguée de la maladie et des pogroms, il avait émigré en France, dans l'espoir d'une vie meilleure, autour de 1895, et ce, malgré la dégradation, la même année, du capitaine Alfred Dreyfus dans la grande cour de l'École militaire. Il était arrivé à Paris un dimanche. Tout était fermé, sauf un atelier de carrosserie, situé, sans doute, près de la gare de l'Est. Le patron lui demanda quel était son métier. Il ne savait rien faire, à part donner de la voix, et il ne parlait pas le français. Il lui tendit ses mains. Il devint d'abord sellier, façonneur de sièges, coussins, garnitures pour voitures. Il fut ensuite embauché comme ouvrier chez Citroën. Était-ce quai de Javel ou place de Clichy ? Un travail dur alternant de longues périodes d'inactivité et des phases de surchauffe. Il termina chef d'atelier. Avant d'être emporté par un cancer, il aurait supplié ses amis de pouvoir écouter une dernière fois un opéra. On l'aurait emmené au palais Garnier sur une civière. Christian a toujours douté de cette histoire, trop mélodramatique pour être vraie. D'après lui, la carrière de grande basse tragique de son aïeul n'aurait jamais dépassé le stade de chantre dans une synagogue.

10

En vacances, ils parcouraient des milliers de kilomètres, non pas en Fiat 500, mais en Volvo 144, un véhicule mieux adapté à la route, robuste, carré, taillé dans l'acier suédois, qu'ils quittaient le moins possible. Ils y passaient leurs jours et leurs nuits. Pour éviter les halls, les couloirs interminables, les escaliers étroits, les mansardes exiguës d'un hôtel, Mère-Grand préférait dormir assise, coincée à l'avant, au hasard d'une ville, avec les siens empilés autour d'elle. Elle pouvait ainsi veiller sur eux sans avoir à négocier avec un réceptionniste soupçonneux une chambre unique pour cinq, dont trois adultes. Jean-Élie siégeait à côté d'elle. J'ignore comment il faisait pour fermer l'œil avec le volant qui lui rentrait dans les côtes, la tête écrasée contre la fenêtre. Anne, alors adolescente, couchait sur la banquette. Grand-Papa reposait, au-dessus d'elle, sur une planche posée en équilibre, entre l'appuie-tête et la plage arrière. Quand je les accompagnais, j'étais allongé dans le coffre, laissé ouvert pour que je puisse respirer, au milieu des bagages. Dans le port de Brindisi, en Italie, j'avais été réveillé par la lampe torche d'un bersaglier. Je me rappelle encore, avec terreur, le pinceau de lumière passé sur mon visage, les chuchotements dans une langue que je ne comprenais pas. Les policiers, intrigués par cette malle entrebâillée, suspectaient sans doute un vol, jusqu'à ce qu'ils aperçoivent nos silhouettes endormies.

Des années auparavant, toujours sous le capot, mais dans d'autres voitures, se trouvait Christian. Son frère, Luc, occupait la place d'Anne. Leur père, étendu sur sa travée, jouxtait un poète hollandais aux cheveux longs, ami de la famille, enveloppé dans une grande cape verte. Les combinaisons, les figurants pouvaient changer, c'était toujours le même tableau vivant, la même architecture, le même amas de chair et d'acier, comme après un carambolage. On se réveillait sur des parkings blêmes, au son des klaxons. Pour ses besoins, Mère-Grand se tenait sur le rebord de la voiture, cachée par la portière, au-dessus d'une cuvette. On changeait à peine de vêtements. On se lavait, comme des chats, avec un brumisateur Évian ou l'eau d'une bouillotte. On dédaignait les musées, les châteaux, les ruines, les plages, les coins de verdure, les villages pittoresques, les tables réputées, les sites qui valent le détour. Ils étaient allés ainsi, sans moi ces fois-là, jusqu'en Iran, au cercle polaire, à Moscou, au-delà du tropique du Cancer. Ils avaient traversé les États-Unis d'est en ouest, l'Australie du nord au sud. Comme dit Paul Morand, en voyage, ils sacrifiaient la profondeur à l'étendue. Leur but était moins de découvrir des contrées lointaines ou exotiques que de couvrir les distances les plus longues possible et de planter de nouvelles épingles sur un globe terrestre.

11

Les automobilistes manquaient-ils déjà d'essence ou faisaient-ils eux aussi la grève ? Nous roulions dans un Paris ensoleillé et vide comme un 15 août. Nous remontions l'avenue du Général-Leclerc. C'était le matin. Depuis les petites lucarnes de la Fiat, le Lion de Denfert, peinturluré de couleurs vives, faisait penser à un animal de cirque. Mère-Grand et Jean-Élie arboraient des mines de conspirateurs. Nous traversions une ville couverte de graffitis et d'affiches lacérées, avec un seau débordant de colle blanche entre les jambes, un balai et notre propre rame de papier. Le message que nous nous apprêtions à apposer sur les murs n'avait pas grand-chose à voir avec l'agitation balbutiante de ce début de mai 1968. J'avais alors six ans. Dans l'impasse où habitaient mes parents, je jouais aux CRS et aux manifestants avec les enfants du voisinage. J'avais, je crois, choisi le camp de l'ordre, par goût de l'uniforme. Sur la petite affichette marron, de forme rectangulaire, que nous devions placarder, il n'était question d'aucune violence policière, mais de la « Vie impossible de Christian Boltanski ». Je ne comprenais pas pourquoi mon oncle portait un jugement aussi sévère sur sa courte existence et surtout tenait à le faire savoir à la population parisienne, de surcroît, avec la complicité de sa famille. C'était sa première exposition. Henri Ginet, ami des surréalistes, lui avait ouvert son théâtre et cinéma, Le Ranelagh, près du jardin du même nom, dans le 16e arrondissement. Il avait installé ses mannequins faits de chiffons et barbouillés de peinture au bas d'un escalier monumental, dans un hall faux Renaissance, tapissé de feutre rouge. J'ai un souvenir précis du vernissage, le 3 mai 1968, au soir. Jean-Élie est arrivé, tout ému, en annonçant qu'il y avait des barricades au Quartier latin.

12

On rentrait en marche arrière, en prenant soin de ne pas emboutir les deux petits arceaux en fer forgé qui encadraient le portail. La voisine, héritière d'une vieille maison d'édition spécialisée dans le voyage, aurait voulu débarrasser la cour de ce tas de ferraille. Elle rêvait d'un jardin à la française, élégant, rectiligne, genre Le Nôtre, et, à cet effet, avait fait construire, dans l'espace qui lui revenait, une fontaine perpétuellement à sec et plantée, tout autour, suivant des lignes plus ou moins géométriques, de buissons d'aubépine en boule ou en épi, arbrisseaux qui finissaient tous rachitiques et décharnés, faute de soleil. Elle aurait voulu accoler un siècle, grand de préférence, à son bien, faire classer cet hôtel très particulier, humide en hiver, frais en été, toujours à l'ombre, mélancolique, plein d'un air poussiéreux et grumeleux, mieux, le désigner d'un style, le doter d'un nom prestigieux, mais essuya un refus sans appel du service des monuments historiques. Le bâtiment était un bric-à-brac architectural, un amoncellement de couches géologiques, un patchwork de différentes époques, qui amalgamait une rotonde du XVIIe, une façade Louis XV, fourrée de lierre, et beaucoup d'éléments postérieurs.

Cela peut paraître étrange de commencer la description d'une maison par sa voiture. La Fiat 500, tout comme sa grande sœur suédoise, constitue la première pièce de la Rue-de-Grenelle, son prolongement, son sas, sa partie mobile, sa chambre hors les murs, ses yeux, son globe oculaire. À l'égal d'un foyer, elle forme un univers fini, rond, lisse, aussi chaud et rassurant qu'un coin du feu. Elle est un mode d'habitat avant d'être un moyen de transport. À la fois vide, transparente et pleine comme un œuf, ouverte, avec ses surfaces vitrées, et fermée, verrouillée, presque étanche, avec ses jointures de caoutchouc et ses entours de nickel. Son intériorité se définit par son contraire, par cet extérieur urbain omniprésent et pourtant lointain et irréel. Elle satisfait nos désirs d'évasion et d'enfermement, de venue au monde et de retour à l'état fœtal. Elle représente le corps féminin, protecteur et accoucheur. Symbole phallique et maternel, elle est aussi bien *domus* que *domina*, domicile que dominatrice. Mère-Grand l'avait meublée d'objets indispensables, brosse, stylos Bic, lingettes pré-imprégnées de la marque Quickies, mouchoirs jetables, lunettes de soleil, paquet doré de cigarettes 555, à l'instar d'un Blaise Cendrars, cet autre mutilé, qui avait transformé son Alfa Romeo en chambre ambulante et stockait dans sa boîte à gants les chapitres des livres qu'il souhaitait lire.

13

J'imagine son visage devenir livide en découvrant, sur son pare-brise, la feuille à grands carreaux barrée de lettres majuscules : « PROFFESSEUR BOLTANSKI JUIF ». Elle reconnut aussitôt une écriture enfantine et pas seulement à cause de la faute d'orthographe et de la maladresse, de la trivialité de l'expression. Elle n'eut aucun mal à confondre le coupable. « Mon petit chéri, comment épelles-tu professeur ? » lui demanda-t-elle, un jour, d'un ton mielleux. Le garçon à peine plus âgé que moi, bien propre, bien sage, culotte courte et raie sur le côté, s'empressa de lui répondre. Exigea-t-elle, après, des explications à ses parents tout aussi parfaits, d'un bleu marine uniforme, blazer, jupe plissée et serre-tête compris, qui habitaient au troisième étage ? Ce vocable ressorti de la nuit, il ne pouvait pas l'avoir « trouvé tout seul », répétait-elle. Il devait avoir surpris, autour de la table familiale, des propos, des allusions sur « les gens d'à côté », sur cet homme qui pare sa boîte aux lettres d'un titre de « professeur », propos et allusions qu'il avait ensuite peut-être partagés avec ses camarades d'école Sainte-Quelque-Chose, écoles si nombreuses dans le quartier. L'un d'eux lui avait-il suggéré de passer à l'action ? De démasquer l'intrus ? Pendant qu'elle fulminait, non contre l'enfant, mais contre le milieu, encore pétri de haines, dont il était issu, le destinataire du message ne disait rien. Un simple papier, trois mots, et tout recommence.

14

Comment se rend-il au commissariat ? Pas en Hotchkiss, cette voiture à la proue effilée dont il était si fier, malgré ses ratés au démarrage. L'armée allemande l'a saisie depuis un bail. Pas à pied, malgré la proximité du lieu. Sans doute en Vélocar qui, à cette date, n'a pas encore été confisqué. Le quadricycle, pourvu d'une carrosserie légère, lui a déjà valu des ennuis. Après l'avoir acheté à un inconnu, il a été accusé de vol par un jeune du quartier qui prétendait en être le propriétaire. Il a évidemment payé la somme qu'il réclamait. Il n'était pas en position de discuter. Arrivé au 10, rue Perronet, il aide son épouse qui l'accompagne comme toujours à gravir l'escalier poussiéreux. Sa mère, convoquée elle aussi, ferme la marche. Le poste de police occupe deux étages d'un immeuble d'angle, en pierre de taille. Ils font partie des premiers à venir chercher leur calicot. Ceux dont les noms commencent par les lettres A et B sont appelés à partir du mardi 2 juin 1942. Un homme au « costume râpé » les reçoit dans une pièce assombrie de fumée. Poli, il offre une chaise à sa femme invalide, mais pas à sa mère. Les deux proscrits restent debout, face au policier, assis derrière son bureau. Est-ce le même qui, lors de leur inscription sur le registre spécial en octobre 1940, disait sur le ton de l'évidence : « Monsieur Boltanski, il y a un autre Juif près de chez vous, M. Lévy. Vous le connaissez probablement ? » Il leur remet à chacun le carré jaune, avec ses trois étoiles à détacher aux ciseaux, et leur demande de signer dans la colonne réservée à l'émargement. En échange, il exige un coupon textile prélevé sur leur carnet de rationnement. Sa mère ressort la première, les yeux effrayés, l'étoffe à la main qu'elle découpera, une fois rentrée à la maison, en suivant le liséré noir, et appliquera avec soin au revers de ses manteaux. Sur le trottoir, elle s'effondre. À la vue du bout de tissu et des larmes qui coulent sur son visage, une passante la prend dans ses bras et lui dit : « À partir de maintenant, on pourra reconnaître nos vrais amis ! »

15

Il arbore sa cible jaune. Elle se tient blottie à son côté. Il pédale le plus vite possible dans un Paris partiellement désert. Ils ne sortent presque plus, mais ils ont été prévenus d'un arrivage d'oranges. Une denrée introuvable. Un cageot entier. Où vont-ils les chercher ? Jean-Élie ne se rappelle plus. « À une gare, peut-être. » Et qui est l'expéditeur ? Un parent ? Un ami ? Un obligé ? Qu'importe, ils sont inquiets. Ils ont hésité à prendre un tel risque. Depuis le début de l'été, la surveillance s'est accrue. La Police des questions juives tend des traquenards dans les couloirs du métro, à la sortie des cinémas et des théâtres, dans les jardins publics. Avec son textile éclatant sur la poitrine, il peut être ramassé n'importe où. Au retour, soudain, une file, un attroupement et, au loin, un barrage, un contrôle, des hommes en uniforme qui ins-pectent des papiers, des ordres qui fusent. S'il exécute un demi-tour et rebrousse chemin, il sera aussitôt repéré. Alors il recule, tout doucement, imperceptiblement. La marche arrière n'existe pas sur un quadricycle. La seule façon, c'est de mettre pied à terre et d'amener la machine vers soi. Sa passagère impuissante le regarde transpirer, tendre ses muscles, tirer sur le guidon. Ses semelles dérapent. Les roues butent sur l'asphalte. La chaîne du vélo tourne à vide. Devant eux, la foule qui les dissimule s'éclaircit. S'ils creusent trop l'espace avec ceux qui les précèdent, ils risquent d'attirer l'attention des gardiens de la paix ou des soldats. Les derniers piétons et véhicules s'apprêtent à franchir le cordon lorsqu'une issue apparaît sur le côté. Il reflue encore d'un ou deux mètres, braque son Vélocar et disparaît dans la rue latérale.

16

Cette fois, il marche seul. En pleine nuit, il descend l'escalier de la cuisine et se dirige vers la rue, avec son pardessus, son chapeau et une petite valise. Un défi à l'ordonnance allemande qui lui interdit de quitter son lieu de résidence entre 20 heures et 6 heures du matin. Est-ce la fin de l'été ou déjà l'automne 1942 ? Il a cessé de recevoir ses patients. Le conseil de surveillance de l'Assistance publique de Paris s'apprête à déclarer son service « vacant ». Il est officiellement divorcé de son épouse. Son compte bancaire est bloqué. Plus rien ne le retient à Paris. D'un pas décidé, il traverse la cour, pénètre sous le porche, soulève la clenche du loquet, tire la porte vers lui et la claque bruyamment, comme s'il voulait que la terre entière – proches, concierge, voisins, riverains, indicateurs de la police, passants éventuels – puisse l'entendre.

CUISINE

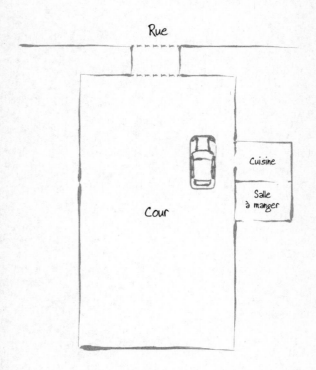

1

Autrefois, une propriété se distinguait par le nombre et la qualité de ses serrures. Dans un intérieur bourgeois, on prenait soin de tout fermer : portes, armoires normandes, secrétaires, cagibis, tiroirs, caves, greniers. C'était même à ce détail que l'on reconnaissait une bonne maison. L'opulence, la respectabilité d'un lieu se mesuraient au cliquetis de son trousseau. On ne possédait que ce que l'on pouvait verrouiller, cadenasser, obturer, cacher. Tout le monde en a fait un jour l'expérience : vider un appartement, après un décès, consiste à amasser des clés dont on ignore l'usage. Des clés de toutes tailles : grandes, dorées, cuivrées, couleur rouille, grises, rabougries, épaisses, tubulaires, à pompe ou radiales. Des clés parées de mystères, qui, bien souvent, ne mènent plus nulle part, des clés orphelines conservées dans le doute ou par nostalgie, dont on devine qu'elles protégeaient, voire dissimulaient des biens, des coffres, des jardins, des potagers, des garages, toute une richesse qui devait être à la fois manifeste et invisible.

Rue-de-Grenelle, il n'y a longtemps eu qu'une seule clé, plate, légère, crantée, triangulaire, maintes fois perdue et d'autant dupliquée, qui commandait tout. Elle actionnait – et actionne toujours – une vieille porte grinçante, composée de deux panneaux vitrés et pourvue de part et d'autre d'une poignée, de sorte que, même si on oublie son jeu à l'intérieur, on ne reste pas enfermé dehors. Depuis des années, le vantail de droite cogne sur le sol en tomette. Son bois a gonflé, ses gonds se sont affaissés. Pour l'ouvrir, il faut tourner le bouton et, si possible, le soulever légèrement, tout en exerçant, avec le pied, une pression, chaque jour un peu plus forte, sur la base évasée du battant. Le seuil franchi, on arrive dans la cuisine, une pièce assez sombre, à cause des stores vénitiens en aluminium qui masquent les deux carreaux du bas et dont les lames tordues accroissent l'opacité. Pour rejoindre sa voiture, Mère-Grand passait toujours par là. Nous faisions de même. Les personnes étrangères à la maisonnée empruntaient les deux autres issues, d'allure plus solennelle, situées au fond du jardin : les invités pénétraient généralement par le vestibule, tandis que patients, élèves ou démarcheurs transitaient par le petit salon.

Les différents accès permettaient une organisation fonctionnelle de l'espace en dissociant les appartements privés des parties professionnelles ou mondaines. À chacun sa porte. Celle de la cuisine n'était presque jamais fermée jusqu'à la disparition mystérieuse, dans les années soixante-dix, d'une toile représentant un mouton en paissance, au bord de la mer, puis, quelques mois plus tard, d'une pendule en marbre noir. Après ces deux vols, jamais élucidés, on prit l'habitude de mettre le verrou. Une mesure purement symbolique. Si un cambrioleur avait voulu perpétrer un nouveau larcin, il n'aurait eu qu'à pousser une des fenêtres branlantes, en rez-de-jardin. Les biens ne comptaient pas. Seules importaient les personnes. Et aucun blindage, aucune serrure, aucune caméra de surveillance, aucun interphone ne les protégerait des périls auxquels elles se croyaient, à tort ou à raison, exposées. Pour se défendre, elles misaient sur leur union indissoluble, lien autrement plus solide que n'importe quelle chaîne de sûreté. La Rue-de-Grenelle formait, de ce fait, un microcosme à la fois autarcique et ouvert. Ma famille ne vivait pas recluse, mais soudée.

2

La cuisine pourrait être décrite comme carrée, si elle suivait des lignes droites. Les éléments nécessaires à son bon fonctionnement qui, ailleurs, sont dissimulés derrière des enduits, des lattes ou des caissons, se donnent à voir, un peu comme dans certaines architectures modernes. Ce n'est qu'un fatras de tuyauteries, de câbles électriques, de compteur, de manomètre. Le mobilier consiste en une série de placards inchangés depuis au moins un demi-siècle, à plaques coulissantes, revêtues d'un Formica imitation chêne. De petits carreaux couleur carotte, soit posés n'importe comment soit décalés à dessein, selon un processus aléatoire, maculés de plâtre grumeleux et de taches de graisse, tapissent une canalisation d'eau plus ou moins parallèle à la porte d'entrée, soulignant son contour biscornu, et, jusqu'à mi-hauteur, la paroi de gauche réservée à l'électroménager. Cette mosaïque orange sert à enchâsser un bloc-évier en inox, une vieille cuisinière à gaz et un lave-vaisselle qui, à force d'ajouter des dépôts de calcaire et de cristalliser les déchets de nourriture, à l'issue d'un long programme dévoreur d'énergie, fait surtout fonction d'égouttoir. Une peinture jaunie par les vapeurs et les projections alimentaires recouvre les trois autres côtés de la pièce, ainsi que le plafond.

La décoration murale a beau évoluer avec le temps, ses motifs restent les mêmes. La petite gravure d'une malle-poste, pendue, à gauche, au-dessus du robinet, renvoie à d'autres diligences anglaises qui ornaient, jadis, la salle à manger attenante. Mon grand-père s'en servait comme d'un canevas, d'un support visuel, pour raconter toutes sortes d'histoires imaginaires aux enfants qu'il prenait alors dans ses bras et hissait jusqu'au tableau. Au fond, à droite, la copie sur papier épais de l'aquarelle du peintre marseillais Antoine Roux intitulée *Trois-mâts Saint-Vincent-de-Paul* fait écho à des toiles marines également disparues. Le tirage grand format d'une paire de pommes de terre germées, qui trône sur ce même mur de droite, remplace une autre photo d'une assiette contenant un steak frites accompagnée d'un verre de vin rouge, sur fond monochrome mauve, œuvre de Christian datant de l'époque – la fin des années soixante-dix – où il multipliait les variations sur le thème classique de la nature morte. Ces images qui en citent d'autres plus anciennes, ces autoréférences, ces mises en abyme perceptibles uniquement par des initiés sont caractéristiques d'un système bouclé sur lui-même.

Si une maison peut être comparée à un palimpseste, à un parchemin que l'on efface régulièrement pour pouvoir réécrire dessus, alors la Rue-de-Grenelle ressemble, pour toute personne de l'extérieur, à un gribouillage illisible. Seuls les proches peuvent distinguer dans un tel fouillis les transformations inévitables après tant d'années. Jean-Élie, le plus fréquemment sur les conseils ou à l'initiative de sa sœur Anne, opère d'infimes déplacements, de petites ratures, de minuscules adjonctions. Comme cette lampe de ramadan et ces ballons en verre soufflé d'origine égyptienne, apparus sur la desserte lamifiée de blanc, ou la boîte de biscuits en métal émaillé, remplie exclusivement de Petit Brun extra, qui jouxte, au bout de la table de la cuisine, une salière de cristal ébréchée et l'écrin rond en ébène, autrefois posé sur le bureau de mon grand-père, renfermant les papiers de la voiture. Des changements invisibles pour un tiers, mais qui, pour moi, qui suis attentif aux moindres bouleversements d'un endroit figé dans le temps, revêtent une importance considérable.

3

Après la mort de ses parents, Jean-Élie s'est installé au rez-de-chaussée comme on se retire dans un sépulcre. Il a conservé l'appartement en l'état. Il a juste retranché, fait de la place, donné, bougé quelques meubles, sans modifier la disposition générale. Le « bas », comme on l'appelle, n'est pas devenu pour autant un musée, un temple intime dont il serait le gardien. Son respect des lieux traduit moins un remâchement du passé ou un goût pour les reliques qu'une forme d'ascétisme, un laisser-aller, une indifférence à l'égard des choses matérielles. Par commodité, il prend ses repas dans la cuisine et utilise l'ancienne salle à manger comme vestiaire ou débarras. Cette seconde pièce, transformée en appendice de la première – d'où sa présence dans ce chapitre –, comprend un canapé-lit où il m'arrive de dormir et qui, une fois déplié, envahit tout l'espace, un fauteuil recouvert d'un velours ocre jaune, un guéridon, un banc long et étroit, des cartons de déménagement jamais vidés, des manteaux accrochés à une triple patère en bois clouée dans le dos de la porte, un vaisselier reconverti en bibliothèque, débordant de livres empilés ou alignés sur plusieurs rangées, et une table de jacquet marquetée d'ivoire qui sert de reposoir à différents bibelots, autrefois exposés dans le salon : une paire de jumelles d'opéra nacrée, un éventail en papier de soie, un vase de cristal, une théière chinoise indigo, un presse-papiers pisciforme en baccarat, un porte-monnaie 1900, en cotte de mailles, marqué d'un fermoir en métal doré. J'ignore s'il accorde à l'un de ces objets une quelconque valeur sentimentale.

D'aussi loin que je me souvienne, il s'est toujours habillé de la même façon. Il porte un Levi's 501 délavé, une chemise à rayures fines, un pull-over bleu marine, le plus souvent jeté sur l'épaule, et des bottines de cuir noir. Son déjeuner, lorsqu'il le prend seul, se compose invariablement d'un verre de vin rouge, d'un morceau de pain et d'un œuf sur le plat enduit d'une couche de harissa qu'il extrait, par une simple pression de son pouce, d'un tube de la marque Cap Bon. Après avoir débarrassé la table et bu un café qu'il a préparé le matin et réchauffé dans une petite casserole, il fume un cigarillo, l'air pensif et le regard perdu, tourné vers la fenêtre. Il a beau faire partie des êtres que j'aime le plus au monde, il demeure pour moi un mystère. Je suis incapable de déceler quand il est triste, heureux, calme, inquiet ou contrarié. Il ne se plaint jamais. En toute circonstance, sa voix reste douce et égale. Je ne l'ai vu que très rarement en colère et à aucun moment brutal. Il lui arrive de pousser un bref grognement d'exaspération et de montrer les dents, comme un chat, généralement, quand on tarde à accepter son aide. Avec nous tous, il est affectueux, disponible, prévenant, mais ne se confie pas. Ou très peu.

Alors qu'il a relu attentivement presque tous les manuscrits produits par son entourage, quand il ne les a pas réécrits pour partie, il n'évoque jamais son propre travail intellectuel. On découvre par hasard, dans les rayons d'une librairie, des ouvrages savants sur le langage, la phonologie, la révolution chomskyenne, qu'il a rédigés et publiés, des mois ou des années plus tôt, sans jamais en faire état. Son savoir encyclopédique englobe l'Antiquité grecque et romaine, avec une prédilection pour le Bas-Empire, la peinture du Quattrocento, la Révolution française, la littérature anglo-saxonne, de Geoffrey Chaucer à Virginia Woolf, le cinéma mondial, la linguistique dont il a fait son métier, ainsi que des notions de macroéconomie, de médecine, d'épistémologie, de philosophie chinoise, et j'en oublie. Il peut disserter pendant des heures sur les origines mystérieuses de la langue étrusque, la découverte par Watson et Crick de la structure en hélice de l'ADN, le déchiffrement par l'architecte anglais Michael Ventris du linéaire B, la grande peste de Londres de 1665, la vie loufoque du poète William Blake, les démêlés du cinéaste Fritz Lang avec les nazis, ou encore la nuit passée par le jeune Alfred Hitchcock dans un poste de police et les répercussions de cette expérience traumatisante sur l'ensemble de son œuvre filmique. Du fait d'une lecture quotidienne du *Monde* et d'une mémoire qui confine à l'hypermnésie, il est capable de relater les moindres événements de l'actualité de ces soixante-dix dernières années. En revanche, sur lui, sur nous, il ne dit pas grand-chose.

Si on lui demande comment il va, il répond « bien » d'un ton qui dissuade toute recherche plus approfondie. Quand j'ai enfin osé lui annoncer mon projet d'écrire un livre sur la Rue-de-Grenelle, il m'a déclaré, en détachant chaque mot, que c'était une « bonne idée », puis il a changé de sujet. J'ai attendu encore quelques semaines avant de lui proposer de venir l'interroger. Je craignais de l'attrister en le forçant à se replonger dans un passé forcément quelque peu mortifère. Il a dû sentir ma gêne.

Au téléphone, après un instant d'hésitation que j'ai cru percevoir dans sa voix, il a accepté, comme toujours. Je suis venu déjeuner chez lui, en semaine. Il avait acheté du pâté en croûte et ouvert une boîte de petits pois. J'avais l'estomac noué pendant tout le repas. Il a répondu à mes questions sans se départir de son humour et de son calme habituels. Lors de chaque entretien, nous sommes restés dans la cuisine, debout, côte à côte. Lui, en train de fumer, le dos appuyé contre le buffet. Moi, avec mon calepin, à proximité de la porte. Au seuil de mon sujet. Tel un visiteur reçu à l'office qui, ne sachant pas s'il est le bienvenu, hésite à prendre congé ou à explorer les autres pièces.

4

Avant même de quitter mon manteau, mon premier geste en revenant de l'école consistait à ouvrir le réfrigérateur. Je plongeais la tête dedans, en salivant, à la recherche de quelque chose à grignoter. Généralement, je ne trouvais rien, à part du café moulu, une barquette de margarine, un flacon de Worcestershire sauce, une boîte de biscottes, un bocal de cornichons oxydés, le tube entamé de harissa mentionné plus haut et quelques œufs rangés dans les creux aménagés à cet effet, derrière la porte. Parfois, dissimulé dans le bac à légumes, à côté d'une laitue défraîchie, je découvrais du jambon blanc enveloppé dans du papier sulfurisé que je dévorais aussitôt. Je retournais également le tiroir à pain dans tous les sens en quête d'hypothétiques viennoiseries. J'engloutissais de vieux biscuits, je mordais des quignons rassis, je vidais les fonds de confiture. J'avais faim. Je n'étais pas le seul à fouiller ce garde-manger désespérément vide. Encore aujourd'hui, le crissement de la porte d'entrée suivi du son caoutchouteux qui accompagne l'ouverture du frigo annoncent immanquablement l'arrivée de mon oncle Christian.

Pour le dire vite, Rue-de-Grenelle, il n'y avait rien à bouffer. Mère-Grand, par peur de grossir et de ne plus pouvoir soulever, à bout de bras, un corps devenu trop lourd, picorait quelques miettes du bout des lèvres, comme un oiseau. Elle devait peser une trentaine de kilos. Le poids d'un enfant. Dans un élan de solidarité ou par mimétisme, Jean-Élie et Anne se soumettaient au même régime minceur. Seul Grand-Papa, qui était toujours servi en premier, avait droit à une ration plus conséquente, comme s'il poursuivait sa croissance. Au restaurant, dans un souci de conserver la ligne, mais aussi de ne pas dépenser trop d'argent, ils commandaient une succession d'entrées et de légumes d'accompagnement. Après avoir inscrit sur son carnet à souche une part de frites, un œuf mayonnaise, une macédoine et des céleris rémoulade, le serveur dépité ne

manquait jamais de poser l'inévitable question :
« Et en plat principal, vous prendrez quoi ? » À
quatre, ils mangeaient comme un. Une fois, après
être entrés par erreur dans un établissement chic,
dépourvu de repas à la carte, et avoir hésité à
aller ailleurs, ils avaient demandé un menu fixe,
un seul, le moins cher, qu'ils s'étaient réparti
par ordre d'arrivée des plats, en réservant le plus
consistant à Grand-Papa. Même pour se susten-
ter, ils ne formaient qu'un seul corps.

5

Ils habitaient un palais et vivaient comme des
clochards. On aurait tort de réduire ce mélange
de vagabondage, de disette, de crasse, d'avarice
à des lubies de grands bourgeois excentriques.
Leurs conduites bizarroïdes dénotaient un rejet
des bonnes manières et des conventions. Elles
exprimaient une révolte à l'égard de leur milieu.
Elles créaient aussi un entre-soi, une coupure
avec le monde extérieur, et avaient, en ce sens,
quelque chose de pathologique. Les hiérar-
chies habituelles étaient bouleversées. Le luxe
côtoyait l'indigence. Mon grand-père se reprochait la mort d'une patiente d'un cancer qu'il
n'avait pas su déceler à temps. Depuis, le mari,
un industriel, lui envoyait chaque année, pour
des motifs mystérieux qui, en famille, donnaient

lieu à des plaisanteries sans fin, une caisse de champagne. Du meilleur. Les bouteilles hors de prix étaient bues comme s'il s'agissait de la piquette habituelle, sans la moindre cérémonie, en accompagnement de la tambouille quotidienne. Ils ne déjeunaient pas : ils pique-niquaient. Ils mangeaient sur le pouce. Ils étaient dans un provisoire perpétuel. La maison n'avait pas toujours été ainsi. Jusqu'au milieu des années soixante, quand elle conservait encore une partie de sa splendeur, une bonne en livrée s'occupait, paraît-il, du ménage et de la cuisine. Une Bretonne, prénommée Berthe, puis une Espagnole, Amalia, que la maîtresse de maison sonnait, comme dans d'autres intérieurs bourgeois de l'époque, à l'aide d'une petite clochette en argent, au moment de desservir.

6

Je n'ai pas souffert de sous-alimentation. À force d'avaler tout ce qui passait à ma portée, j'ai même fini par devenir un garçon plutôt grassouillet. Prudent, je n'attendais pas que la pitance arrive dans mon assiette. Je prenais les devants. Je m'empiffrais à la source, dans la casserole encore sur le feu. Faute d'avoir adopté les mœurs locales, ma mère repartait presque toujours de la Rue-de-Grenelle le ventre vide. Pendant qu'elle escomptait être servie, les poignets sagement posés de part et d'autre de son couvert, chacun se jetait sur la nourriture dans une mêlée joyeuse. Les déjeuners qui se déroulaient alors dans la salle à manger, sous un lustre de cristal, étaient un moment d'allégresse, de liberté et de foutoir. Des invités pouvaient surgir à l'improviste. On leur faisait de la place. La question de savoir s'il y avait assez de victuailles pour tout le monde ne se posait pas. J'ai entendu Jean-Élie déclarer à une dizaine de convives : « Ça tombe bien ! J'ai acheté trois éclairs au chocolat. » Il n'y avait pas vraiment de manières de table. On pouvait manger avec ses doigts, s'agenouiller sur le banc, plonger sa fourchette dans la marmite, lécher ses couverts, s'essuyer sur ses vêtements. Christian prétend que son père l'encourageait à passer ses mains graisseuses dans les cheveux afin de les fortifier. Personnellement, je ne l'ai jamais vu faire une chose pareille.

Dans cet univers refermé sur lui-même, nous ingurgitions beaucoup de conserves. Des crèmes desserts Mont Blanc, parfum vanille, chocolat ou Grand Marnier. Du couscous Garbit à la viande, avec sa semoule précuite. Parfois même un assortiment de plusieurs boîtes. Une sorte de cuisine gigogne. Des raviolis Buitoni que Jean-Élie agrémentait – c'était sa touche personnelle – d'un peu de lait Gloria. Des flageolets Cassegrain qu'il réchauffait dans de la sauce tomate napolitaine, afin de reproduire les *baked beans* anglais.

Ces denrées alimentaires en vase clos n'étaient jugées qu'à l'aune d'un seul critère : être ou non propres à la consommation. Le contenant devait être stérile et hermétique. Au moindre ballonnement du couvercle, au moindre sifflement lors de l'ouverture, il finissait à la poubelle.

7

Nous avions peur. De tout, de rien, des autres, de nous-mêmes. De la nourriture avariée. Des œufs pourris. Des foules et de leurs préjugés, de leurs haines, de leurs convoitises. De la maladie comme des moyens mobilisés pour la contrer. Du comprimé absorbé après une lecture attentive du dictionnaire Vidal. De l'asphyxie au gaz de ville. D'une noyade en mer. D'une avalanche en montagne. Des voitures. Des accidents. Des porteurs d'uniforme. De toute personne investie d'une autorité quelconque, donc d'un pouvoir de nuire. Des formulaires officiels. Des recours administratifs. De la petite comme de la grande histoire. Des joies trompeuses. Du blanc qui présuppose le noir. Des honnêtes gens qui, selon les circonstances, peuvent se muer en criminels. Des Français qui se définissent comme bons, par opposition à ceux qu'ils jugent mauvais. Des voisins indiscrets. De la réversibilité des hommes et de la vie. Du pire, car il est toujours sûr.

Cette appréhension, ma famille me l'a transmise très tôt, presque à la naissance. Petit, j'avais la phobie du sable chaud, des vagues, des champignons sauvages, des herbes hautes, des arbres serrés les uns contre les autres, des ténèbres, des vieilles dames affables que je confondais avec des sorcières, des araignées et, plus généralement, de toute forme d'insecte. J'étais considéré comme un enfant agité. Au restaurant, pour me faire tenir tranquille, mes parents me signalaient la présence dans la salle de quelques personnes âgées, de préférence voûtées et pustuleuses. J'arrêtais aussitôt de pleurer de crainte qu'elles ne me changent en grenouille. En vacances, toujours histoire de souffler un peu, ils m'installaient au milieu d'un tapis de bain, sur une plage ou une pelouse. Cerné par cette nature inhospitalière, je restais coi jusqu'à leur retour, sans oser mettre un pied hors de la serviette. En grandissant, ma terreur s'étendit aux soucoupes volantes, aux nuits de pleine lune, aux recoins obscurs, aux armoires entrouvertes, aux chiens tenus ou non en laisse.

Mon père vit dans l'angoisse de l'holocauste nucléaire. Il sait à peu près tout sur le projet dit Manhattan de développement de l'arme atomique. Du temps de la guerre froide, il prédisait la fin du monde à chaque regain de tension entre les États-Unis et l'Union soviétique. Depuis, ses nuits continuent d'être hantées par des visions d'« astronefs étranges, avançant en silence vers quelque chose d'inexorable ». Adolescent, Christian composait déjà d'innombrables scènes de guerre à mi-chemin entre *Guernica* et *Le Cirque bleu*, entre les cauchemars de Picasso et les rêveries de Chagall. Telles des icônes orientales suintant le sang du Christ, ses fresques, enduites d'une peinture à base d'huile de cuisine qu'il avait concoctée lui-même, laissaient encore très récemment une légère empreinte quand, par mégarde, on se frottait contre la toile. L'une d'elles, particulièrement belle et effrayante, qui entremêle des avions en flammes, des décombres et des humains terrorisés, recouvre l'un des murs de l'ancienne salle à manger. Jean-Élie nous crie de faire « attention » – interjection qu'il répète généralement deux fois – pour des actes aussi simples que de traverser la rue ou d'ouvrir un robinet.

Quant à leur mère, elle contrôlait chaque instant de leur vie. Après qu'ils eurent atteint l'âge adulte et acquis chèrement leur autonomie, elle exigeait d'eux qu'ils l'informent de chacun de leurs déplacements. S'ils l'appelaient ou la rejoignaient avec quelques minutes de retard, elle imaginait d'épouvantables catastrophes. Je l'ai entendue téléphoner, un soir, à la SNCF pour savoir si le train qui transportait l'un de ses fils n'avait pas déraillé.

8

Les douze coups de Big Ben qui retentissaient dans tout l'appartement servaient de sonnerie du déjeuner. Depuis la guerre, mon grand-père ne manquait jamais le journal en français de la BBC diffusé chaque jour à midi, heure de Londres, sur les ondes moyennes. Il n'écoutait aucune autre fréquence. Il tenait d'une main fébrile son petit transistor collé à l'oreille, de peur, sans doute, que l'émission ne soit brouillée, l'antenne télescopique déployée à l'horizontale, pour plus de discrétion, et guettait le carillon libérateur de Westminster. Légèrement décalées par rapport à l'actualité hexagonale, les nouvelles, lues d'une voix claire, lente et cadencée, en marquant chaque césure, conformément à la diction radiophonique en vigueur au Royaume-Uni, avaient un parfum d'étrangeté. Il les suivait avec un air inquiet, comme s'il captait une radio ennemie et craignait d'être repéré par des camions gonio allemands. Dès la fin du bulletin, il passait à table.

9

Lorsqu'elle voulait faire plaisir, elle descendait tôt le matin dans la cuisine et se mettait aux fourneaux. Dressée sur ses pattes chancelantes, arc-boutée au-dessus du buffet, elle évidait et farcissait des poivrons, grillait des aubergines sur la flamme de la gazinière, détachait au couteau leur peau calcinée, mélangeait leur chair confite à des oignons crus. Elle mettait des concombres à dégorger, les plongeait dans la crème épaisse. Elle malaxait, roulait des boulettes de viande dans de l'œuf et de la chapelure, les jetait dans l'huile bouillante, puis les saupoudrait de paprika. Elle découpait et faisait revenir des foies de volaille. La cuisine s'emplissait d'odeurs d'ail, de pelures brûlées, de fritures. Ses murs résonnaient de bruits de hachoir et de noms bizarres : kacha, vareniki, pojarski, vatrouchka. Les grands jours, généralement le dimanche, elle préparait du bortsch. Une soupe de betteraves, de choux et de poitrine de bœuf qu'elle laissait mijoter la veille, dégraissait au petit matin et servait avec des pirojki, des pâtés briochés de chez Goldenberg. À la toute fin, elle ajoutait à son bouillon écarlate du sucre en poudre et un doigt de vinaigre, en dosant chaque ingrédient avec la méticulosité d'une laborantine. Le secret du bortsch réside dans un équilibre aigre-doux très précaire.

En signe de réjouissance, elle sortait alors ses plus belles assiettes, celles en porcelaine bleue. Les creuses pour la soupe, les plates pour la viande. Plus qu'un festin, elle nous offrait un passé. Elle nous reliait à une histoire qui n'était pas la sienne. Elle sacrifiait à un culte ancien dont elle avait adopté les rites. Elle accomplissait un genre d'eucharistie. Son potage roboratif au goût acidulé et à l'odeur de chou contenait consubstantiellement l'âme des Boltanski. En trois quatre cuillerées de potion magique, elle nous procurait des origines, un sentiment d'appartenance, sinon à une communauté, au moins à un modèle alimentaire, ce quelque chose qui permettait de revendiquer ou plutôt de justifier notre différence. Des images de steppes, de traîneaux glissant sur la neige, de cantiques sacrés, de bougies de shabbat, d'orchestre tzigane endiablé surgissaient de ses chaudrons. Elle qui ne mangeait rien nous transmettait une tradition culinaire pour solde de tout compte. Pas de folklore exotique, pas de coutumes à respecter, pas de langue rare à sauver de l'oubli, pas de culture ancestrale à entretenir par-delà les frontières. Juste des recettes. Une nourriture qu'il fallait qualifier de « russe » pour ne pas dire juive.

Tout cela, elle ne le faisait pas pour nous, mais pour lui. Ses offrandes n'étaient destinées qu'à son mari. Le bortsch, les côtelettes Pojarski, comme le pastrami ou les strudels achetés dans le quartier du Marais comblaient une absence. Ils servaient à mettre des mots ou plutôt des mets sur ce dont on ne parlait pas et qui était toujours là. Lui ne demandait rien. Il ne disait rien. Elle seule rompait le silence et osait prononcer un adjectif qu'il s'était employé à effacer.

C'était elle qui le traînait, le dimanche matin, au Pletzl. Elle encore qui lui restituait les saveurs d'Odessa. De lui-même, il aurait évité de se faire remarquer dans la rue et se serait sans doute contenté de quelques spécialités bretonnes, dont elle aurait pu être dépositaire si sa propre famille s'était intéressée à la gastronomie et ne l'avait pas abandonnée en bas âge. En s'unissant à lui par un mariage qui la coupait de son milieu, elle avait tout épousé : ce qu'il était et ce qu'il ne voulait plus être. Elle lui mitonnait les plats de son enfance pour le réconcilier avec lui-même, lui redonner une fierté, un équilibre, une assiette.

10

Elle avait été initiée à cette cuisine est-européenne par sa belle-mère. Une femme décédée quatre ans avant ma naissance, qui partageait la vie du ménage et habitait l'étage au-dessus. Ce personnage chimérique subsiste dans la mémoire familiale sous le terme affectueux de Niania, que l'on peut traduire par nounou ou mémé. Elle n'est jamais autrement désignée que par ce petit nom sorti d'un roman russe, comme si, toute sa vie, elle n'avait été que cela : une vieille nourrice éperdue d'amour pour ses enfants. Je ne sais pas à quoi elle ressemble. Je ne peux m'appuyer sur aucun album de famille, aucun portrait couleur sépia n'a été pieusement conservé dans son cadre de bois. La Rue-de-Grenelle proscrit la photo, parce qu'elle montre ce qui n'est plus. Le peu que je sais de Niania, je le tiens de mon père et de mes oncles.

C'était, apparemment, une dame minuscule, corpulente, aux longues tresses brunes, toujours habillée de noir, comme si elle avait été condamnée à un veuvage éternel. Christian la dépeint en babouchka aux cheveux teints, vêtue d'un gilet brodé à fleurons et percluse de rhumatismes, qui répondait « Onne wienne ! » quand on l'appelait. En fin de journée, il écoutait avec elle des mélodies russes sur son gramophone. Notamment un disque de chants de la Volga dont il a retrouvé un exemplaire, des années plus tard, dans l'atelier du sculpteur roumain Brancusi, reconstitué au Centre Pompidou. Il prétend qu'elle avait un fort accent yiddish. Jean-Élie affirme, à l'inverse, qu'elle prononçait correctement le français, mais ne pouvait pas l'écrire. Luc n'a jamais entendu de musique chez elle et assure qu'elle ne possédait pas le moindre phonographe. Il se souvient principalement de ses sandwichs au caviar d'aubergine et de son habitude, quand elle venait le garder, d'arriver toujours une heure à l'avance, avec un livre de la comtesse de Ségur et une bougie, en cas de panne de courant. Avec sa voix aiguë et ses r roulés, elle lui lisait *Le Général Dourakine* et lui racontait que son père allait devenir ministre. Elle vouait une même passion à son fils unique et à la France qui l'avait accueillie.

11

De Niania, je ne connais que son samovar. Un objet emblématique qui incarne le mythe fondateur de la tribu. Le totem des Boltanski. Dans mon souvenir, il était autrefois posé en évidence dans le vaisselier de la salle à manger. Après sa disparition, je l'ai longtemps confondu avec le pied de lampe en cuivre qui trônait chez ma mère, à l'impasse, et qui éclaire aujourd'hui, fort mal d'ailleurs, ma chambre à coucher. En fait, Christian l'a récupéré après le décès de ses parents. Il aurait tenté de le vendre en tant qu'œuvre d'art à un collectionneur et, pris de remords, lui aurait fourgué une copie. Du moins, c'est ce qu'il prétend. Le samovar sert d'illustration au dernier roman de ma grand-mère dédié à son époux et à sa longue agonie dans un service de réanimation. Sur la photographie en noir et blanc qui figure en couverture du petit livre titré *Réanimensonge*, il est plus menu et moins rutilant que les habituelles chaudières portatives russes en vitrine chez les antiquaires. À ma connaissance, il n'a jamais été utilisé, en tout cas pas depuis sa transformation en statue. Contrairement au mât totémique qui, pour Freud, est un substitut du père, il s'agit ici d'une figure féminine tout en rondeurs, avec un corps ventru, deux anses torsadées et un piédestal crénelé pour accueillir la théière. Ou du moins, androgyne, avec son minuscule robinet d'où il ne sort plus aucun liquide. Source de chaleur, instrument de partage, il symbolise l'âtre et, par extension, le foyer, le groupe, l'ancêtre, mais aussi le déracinement, le pays oublié, les êtres chers qui ont été abandonnés. Un dépouillement.

Notre emblème est le fruit d'un vol. Quand elle se sauva de chez elle, Niania emporta cette bouilloire qui devait être encore brûlante. Pourquoi s'encombra-t-elle d'un ustensile aussi banal qui, en Russie, équipe chaque ménage ? Sans doute en souvenir de la famille qu'elle quittait et en prévision de celle qu'elle allait fonder. Pour tracer un trait d'union entre ses deux vies si dissemblables. Avant de s'envoler, elle écrivit à son père, un marchand qui importait de Turquie des raisins de Corinthe et de la viande de bœuf. Un homme fortuné. Qui possédait un traîneau à clochettes. Plus tard, dans ses récits, elle insistera beaucoup sur ce point. Ce dernier indice, ce grelot accroché à l'attelage, étant censé prouver son rang social élevé. Dans son message, elle lui expliquait son intention de rejoindre David, son amant. Un chanteur d'opéra dont la carrière triomphale avait été brutalement interrompue par la maladie. Pis, un garçon mal né dont ses parents n'auraient vraisemblablement pas voulu comme gendre. Issu d'un milieu trop pauvre, trop religieux. Pas assez russe à leurs yeux. Nanti d'un père artisan qui craignait le Tout-Puissant, portait encore la calotte de reps noir, les franges rituelles et ne recevait pas de goyim dans sa maison. Mais là où il était, ces détails n'avaient plus d'importance. Désormais, il vivait dans un pays fabuleux, le premier à avoir émancipé les Juifs. Il serait bientôt riche et heureux. La lettre s'achevait par une ode à la France. Ensemble, ils allaient entamer une vie nouvelle sur une terre généreuse, accueillante, où tous les citoyens, quelles que soient leurs origines ou leurs croyances, étaient libres et égaux.

Elle n'était, apparemment, pas encore majeure. Pour pouvoir voyager, elle changea sa date de naissance sur son passeport. Avec ses faux papiers, elle redoutait d'être arrêtée à chaque passage de frontière. Son samovar étant trop volumineux pour tenir dans une valise, elle devait l'avoir sous le bras, à sa descente du train, à Paris. David l'attendait sur le quai. Il avait oublié qu'elle était aussi jeune. Elle mit aussi quelques instants avant de le reconnaître. Un an plus tôt, elle avait quitté un artiste que je me représente sous les traits d'un Aristide Bruant croqué par Toulouse-Lautrec, la carrure en moins : chapeau à large bord, manteau noir et cache-nez rouge enroulé autour du cou. Elle retrouva un ouvrier en bleu de chauffe, au corps amaigri et au visage prématurément vieilli. Après lui avoir fait monter les six étages d'un immeuble de rapport du 17e arrondissement et l'avoir installée dans une chambre minuscule, sous les toits, il lui annonça qu'il repartait travailler. Il faisait partie de l'équipe nocturne. Cette première nuit et les suivantes, elle resta seule dans cette mansarde dépourvue de tout mobilier, à l'exception d'un lit de sangles, d'une chaise et d'une malle couverte de caractères cyrilliques. Elle hésita à regagner Odessa pour se prosterner devant son père, implorer sa clémence et lui restituer sa chaudière en cuivre, mais elle était prisonnière de sa lettre, de son lyrisme et, par-dessus tout, de l'orgueil avec lequel elle avait décrit sa patrie d'adoption et son bonheur futur. Jean-Élie reconnaît, avec son tact habituel, qu'« elle a été un peu déçue ». Pour autant, ajoute-t-il, elle a formé avec son époux « un très bon ménage ».

12

J'ai conscience que tout cela découle d'une source unique : Niania, accoutumée par la vie à travestir, à édulcorer, à magnifier. En près d'un siècle, ce récit a dû être raconté quelques dizaines de fois, par un nombre limité de personnes, cinq ou six, au maximum. Avec le temps, il a acquis la force d'une légende, d'une fable débarrassée de ses défauts, lissée par des années de manipulation. Il s'est durci, comme de la pâte à modeler. Il a fini par se dessécher puis devenir friable. Je me dépêche de le transposer sur le papier avant qu'il ne s'émiette et ne disparaisse à jamais. Il renferme évidemment une part de vérité. Il se nourrit d'éléments sortis de la mémoire et, auparavant, tirés du réel. Chacun de mes interlocuteurs en rapporte une version légèrement modifiée. Ces séries d'altérations font elles-mêmes sens et donnent à ces faits minuscules une patine, une profondeur, une épaisseur. Elles racontent à leur tour une histoire, celle de l'exil, d'une immigrée contrainte, comme beaucoup de ses semblables, au mensonge pour survivre, celle de ses descendants en mal de cohérence et, aussi, celle du temps qui passe, de l'oubli.

13

Rien ne bouge. Les repas de famille continuent de se dérouler sur la longue table à rallonge. Chacun occupe la même place, autour de la toile cirée vert olive. Jean-Élie et Anne sont sur le banc, le jumeau de celui qui se trouve dans la pièce voisine, à proximité des fourneaux allumés, et laissent aux autres les sièges de cinéma, repliés contre le mur, la seule nouveauté, une fantaisie inimaginable du temps de leur mère. Trop instable. Les strapontins, matelassés de velours lie-de-vin, tanguent dangereusement dès que l'on s'assoit, la barre de métal qui les relie n'ayant jamais été fixée au sol. Elle n'aurait pas pu s'appuyer dessus. Elle aurait risqué de tomber. Les meubles devaient lui servir de béquilles, de parapets, d'éperons, d'accoudoirs. Ils dessinaient à travers la maison un chemin invisible, à la manière des mousquetons, des points d'ancrage laissés par un alpiniste sur une paroi rocheuse. Sans elle, ils sont devenus inutiles, tout juste bons à être recouverts d'un linceul. Elle leur insufflait la vie. Son énergie rageuse continue d'imprégner les murs. On pourrait presque l'imaginer se déhanchant entre la table et le buffet, les mains appuyées sur la chaise en osier qu'elle pousse devant elle, à l'instar d'un déambulateur, les traits contractés, presque grimaçants, avec cette colère, cette violence rentrée, comme si elle livrait une lutte acharnée contre elle-même et tout ce qui l'entoure. Et nous, attentifs à ses moindres gestes, prêts à nous précipiter à son secours, tout en restant en arrière, à distance respectueuse, les yeux en l'air pour ne pas croiser les siens, car c'est dans le regard des autres qu'elle se voit différente. Lorsque nous sommes réunis, le soir, dans la cuisine, nous continuons de regarder ailleurs. Nous ne parlons ni d'elle ni de lui. Nous n'évoquons à aucun moment leur mémoire, non par omission ou indifférence, mais par pudeur. Comme s'ils étaient toujours là.

<h1 style="text-align:center">14</h1>

Depuis la fuite de « Monsieur », la concierge est encore plus envahissante que d'habitude. Elle ne cesse d'entrer sans prévenir, avec sa fillette dans les pattes, pour proposer son aide, annoncer un arrivage de légumes chez tel ou tel commerçant ou rapporter les derniers potins du quartier. Sans doute, touchée par cette femme handicapée qui, désormais, élève seule ses deux garçons, cherche-t-elle à se rendre utile. Elle a dû être choquée par l'attitude de ce mari qui, en pleine guerre, n'a pas hésité à abandonner les siens, et s'en épancher auprès des autres résidents de l'immeuble. De la cuisine, située en face de sa loge, on entend ses moindres conversations. Les « Bon débarras ! », les « Faut-il s'attendre à d'autre chose de ces gens-là ? » doivent résonner dans la cour, tout comme son poste de TSF qui diffuse en boucle les discours de Pétain et de Laval. Faut-il se méfier d'elle ? Collabore-t-elle avec les autorités, comme d'autres gardiennes ? Au moins ne partage-t-elle pas la passion de la vieille fille du quatrième, une couturière à domicile, pour Philippe Henriot, l'éditorialiste

de Radio Paris, surnommé le « Goebbels français ». Elle se plaint des « Boches », émet parfois
des critiques à l'égard du « Maréchal ». Mais si
elle suspectait quelque chose, elle pourrait commettre une indiscrétion. Elle représente donc
un danger. À la fin 1942, pour signaler ses intru-
sions, une sonnette est installée à la porte de la
cuisine.

15

J'évolue à travers la Rue-de-Grenelle comme
sur un plateau de Cluedo. Par une heureuse
coïncidence, il y a autant de pions que de protagonistes. Hormis le colonel Moutarde, il est
facile d'identifier qui peut exercer les rôles
de Mademoiselle Rose, Madame Pervenche,
Professeur Violet, Monsieur Olive ou Madame
Leblanc. Je n'ai pas besoin de jeter mes dés. Je
ne peux, en effet, avancer que dans une seule
direction et je ne me déplace que d'une case à la
fois, voire de deux si elles remplissent une même
fonction, comme la cuisine et l'ex-salle à manger. Les appartements en enfilade – c'est d'ailleurs leur principal défaut – font l'économie des
couloirs et n'offrent pas d'échappées latérales.
À chaque tour, je découvre une nouvelle pièce.
Contrairement à la version classique du jeu, il
n'existe pas davantage de passage secret reliant

le bureau à l'observatoire (ici la terrasse) ou la salle de bains au salon. Je n'ai jamais vu non plus de matraque, de poignard ni de revolver. En guise d'indice, je dispose à ce stade d'une clé, d'un frigo à moitié vide, d'un samovar et d'une sonnette. Dans chaque partie de la maison, je convoque un ou plusieurs personnages, je vérifie les alibis de chacun, j'émets une hypothèse et je me rapproche un peu plus de la vérité. Si la victime est la même que dans le Cluedo, l'intrigue change. Je ne suis pas en présence d'un meurtre, mais d'une disparition. La question à laquelle je dois répondre est la suivante : où est caché le Docteur Lenoir ?

BUREAU

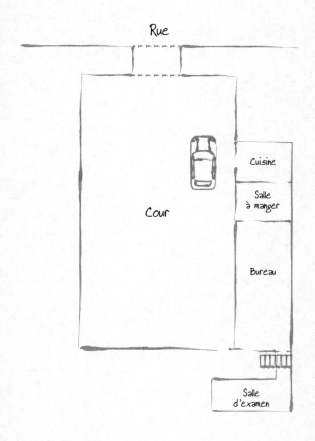

Rue

Cour

Cuisine

Salle
à manger

Bureau

Salle
d'examen

1

Longtemps, il continua à apparaître dans l'annuaire en tant que médecin spécialisé en gastro-entérologie. Son téléphone, un modèle de la fin des années soixante, avec un cadran rotatif et une coque en plastique grise, était posé sur la cheminée du bureau, face au miroir doré. Il sonnait fréquemment, surtout aux heures ouvrables. Lorsque je décrochais, j'entendais à l'autre bout du fil quelqu'un me demander d'une voix bilieuse ou diarrhéique, mais qui me semblait provenir d'outre-tombe, si je pouvais lui accorder une consultation en urgence. Des appels désespérés qui produisaient sur moi un effet glaçant. J'ai été à plusieurs reprises tenté de fixer à ces importuns un rendez-vous afin de leur prodiguer, mieux que des soins, quelques paroles réconfortantes, comme il aurait si bien su le faire. Sans son reflet que je croyais apercevoir dans la glace, sans la présence de son mobilier, de ses traités, de ses *Que-sais-je ?* alignés en rangs serrés sur les étagères, sans tout ce décorum que j'associais, petit, à sa mission salvatrice, à ses recherches savantes, à son grand œuvre, je les aurais, sans doute, reçus, affublé, pour être plus crédible, d'une blouse blanche, un déguisement qu'il ne jugeait pas utile de revêtir. « Le docteur n'exerce plus », se contentait de répondre Jean-Élie, d'un ton impassible, en employant toujours le temps présent. Il attendit deux décennies avant de changer l'abonnement à France Télécom et d'inscrire l'indicatif à son nom.

2

Dans cet appartement assoupi, mon oncle efface toute trace de son passage. Il dort sur le divan où, après le déjeuner, son père faisait une sieste rapide. Une fois levé, il enfouit ses draps, sa taie d'oreiller et sa couverture écossaise dans l'armoire fourre-tout en merisier. Il travaille sur une table de style Directoire, recouverte d'un velours frappé, éclairé par une lampe d'opaline, en forme de champignon, qui souligne l'obscurité de la pièce plus qu'elle ne la dissipe. À peine a-t-il refermé livres et calepins, il les entasse dans des rayonnages ou des tiroirs. Ni sous-vêtements oubliés dans un coin, ni paperasse jetée dans la corbeille ou pull-over pendu au dossier d'une chaise. Il ne laisse rien traîner : aucune affaire personnelle, aucune lettre adressée à son nom. Ainsi qu'un clandestin dans son propre foyer, il fait disparaître, au fur et à mesure de la journée, les moindres signes de sa vie discrète. En hiver, je le retrouve assis sur le radiateur en fonte, tourné vers la dernière des trois fenêtres, ou alors par terre, devant un guéridon en bois clair, au tablier octogonal, adossé au lit, ses bottines noires collées à un soufflant, recroquevillé sur lui-même, comme s'il voulait occuper le plus petit espace possible, alors que sa présence emplit toute la maison.

Il peut également passer ses fins de journée tassé dans son rocking-chair acheté sur catalogue, généralement de qualité médiocre et qu'il doit, de ce fait, changer régulièrement, avec la télévision branchée en continu sur Mezzo, la chaîne dédiée à la musique classique et au jazz, mais sans le son. Il aime regarder la course muette des doigts sur les claviers, les mouvements saccadés et tout aussi vains des archets, les gestes mécaniques du chef d'orchestre, analogues à ceux d'un robot miniature dont on vient de remonter le ressort, les efforts désespérés des divas devenues aphones, les ténors qui, privés de voix à leur tour, semblent appeler à l'aide, avec leurs bras ballants et leur bouche écartelée, toutes ces poitrines qui se remplissent et expirent au même rythme et d'où rien ne sort, tels des binious crevés, ces musiciens penchés sur des partitions blanches, à moins qu'elles n'indiquent qu'une litanie de pauses, de demi-pauses et de soupirs. Muselé, ramené à une succession de plans fixes, l'opéra n'est plus qu'une pantomime raide et grotesque, une lourde machinerie qui tourne à vide. Ces images sourdes, dépourvues d'intérêt autre que graphique, ces millions de pixels laissés à eux-mêmes accroissent le silence pesant du bureau. Jean-Élie, c'est l'omerta.

3

Seul, il garde le lustre éteint. Il ne l'allume qu'aux grandes occasions, quand il reçoit de la visite. Le reste du temps, il lui préfère la pénombre des abat-jour, mieux adaptés à un espace qui lui sert dorénavant de chambre et de séjour. La lumière crue projetée au milieu de la pièce a le défaut de faire ressortir la peinture défraîchie, les murs cloqués, les brisures dans le vieux parquet en point de Hongrie, notamment ce trou, à proximité de la porte de la salle à manger, au-dessus duquel a été posée une chaise d'angle, pour éviter qu'on ne tombe dedans. Avec ses branches de cuivre, ses nombreuses ampoules grillées, ses bougies à moitié consumées, le luminaire témoigne à la fois du faste d'antan et du déclin survenu depuis. Il appartient à une autre époque, il correspond à une autre échelle. Trop gros, trop bas. Sa taille, surdimensionnée par rapport à la hauteur de plafond, a dû être calculée pour une population lilliputienne. On se cogne régulièrement le crâne sur ses pendeloques. Retenus aux chandeliers par du fil de fer rouillé, les cristaux s'entrechoquent, dans un bruit de sonnailles, et finissent par tomber les uns après les autres, comme des fruits trop mûrs.

C'est fou l'effet produit par un éclairage, même fatigué : il suffit d'appuyer sur l'interrupteur pour ressusciter le cabinet de travail. Une pièce tout en longueur, tendue d'un papier vert bouteille. À l'instar des autres parties de la Rue-de-Grenelle, celle-ci a conservé son ancienne désignation. On persiste à l'appeler le « bureau », malgré son aménagement en living-room et, surtout, l'absence du meuble homonyme d'où il tirait sa raison d'être. Le bureau est privé de son bureau. Une belle table Louis XIII vernissée, aux jambes torsadées se terminant par des boules. À peu près la seule chose que mon père ait récupérée. Sur ces planches en chêne massif, il a écrit la plupart de ses essais, de ses pièces et de ses poèmes. Un objet a beau voyager, il demeure lié à un lieu et un seul. Sorti de son environnement d'origine, je le remarque à peine. Il m'est devenu étranger. En revanche, je me souviens précisément de la place qu'il occupait « en bas », au centre de la pièce. Il était encadré par les deux secrétaires et touchait presque les volets de la porte-fenêtre. Il possédait une écritoire en cuir noir qui contenait du papier à en-tête et des ordonnances vierges. Je fais encore un détour pour l'éviter, de peur de heurter ses quatre coins acérés, comme le membre fantôme d'un mutilé, cette partie de soi que l'on n'a plus mais dont l'absence peut devenir obsédante et douloureuse. Il dessine un espace aux frontières invisibles, il laisse un vide, mais un vide plein, rempli d'images fugitives qu'une table basse étroite, étirée, pareille à un banc, dont le plateau de sapin clair s'est très vite couvert de traces de verres à pied, tente vainement de chasser.

4

La bergère, elle, est toujours là. Elle apparaît dans un court métrage de dix minutes réalisé en 1984 par ma grand-mère et le poète Raphaël Cluzel. Filmé de dos et en gros plan, ce fauteuil jaune moutarde, trapu, court sur pattes et aux accoudoirs rembourrés, occupait même la première place, le rôle-titre. Debout de part et d'autre du siège, un mari – interprété par un acteur professionnel – et son épouse – incarnée par ma mère qui effectuait là sa seconde et dernière apparition à l'écran – débattaient du sort d'un être indéterminé reposant sur le coussin, que l'on supposait endormi. Le couple s'apprêtait à partir en vacances et discutait, avec un embarras mêlé de compassion, des moyens de se débarrasser de ce fardeau qui pouvait être tout aussi bien un vieillard impotent qu'un animal domestique. On entrapercevait aussi Ariane, ma sœur cadette, dans le rôle de l'ado boudeuse.

Le film jouait sur le contraste entre l'indignation suscitée à l'époque par les chiens largués le long des autoroutes de France, lors des grands départs d'été, et l'indifférence quasi générale à l'égard des personnes âgées, abandonnées à leur solitude durant ces mêmes périodes estivales, et négligées le reste du temps. Pour nous, cette fable revêtait une signification particulière, à la fois sarcastique et douloureuse. Le fauteuil, c'était le sien. Là où il aimait fumer sa pipe, là où, en fin de journée, il feuilletait ses articles de médecine, là où il me racontait des histoires, où il versait des larmes d'émotion à la lecture d'un passage de Charles Dickens, de Fédor Dostoïevski ou de Victor Hugo. Là où il n'était plus.

Pendant le tournage, l'imaginait-elle assis derrière le dossier ovale capitonné ? Le cherchait-elle avec cette caméra plus haute qu'elle ? Espérait-elle trouver sa trace sur la pellicule, comme ces ufologues qui mitraillent le ciel à l'affût du moindre phénomène optique ? Voulait-elle l'enfermer dans une chambre noire ? Pour les besoins du film, l'appartement avait été reconverti en studio de cinéma. Une table de montage, prêtée par le producteur, avait surgi dans ce que l'on appelait alors la salle d'examen, une pièce sans fenêtre, à l'odeur de savon et d'éther, qui communiquait avec le bureau par un couloir étroit. Cette machine de fer pesait une tonne. Elle était posée, contre le mur, à côté d'un appareil de radioscopie rudimentaire, d'un lit d'auscultation et d'une pharmacie. Elle pouvait presque passer pour un équipement médical de plus, avec ses plateaux, ses mags de bobines, ses compteurs d'images et son petit hublot de visualisation. Déjà obsolète, elle resta là pendant des années, à l'abandon, jusqu'à ce que l'endroit soit aménagé en salle d'eau, avec des vécés et une baignoire à sabot.

5

Je me tenais debout, torse nu, pendant qu'il disposait ses instruments sur un caisson métallique à roulettes. Quand il voulait me vacciner, sa main tremblait. Il craignait de me faire mal, hésitait sur l'angle d'attaque, bougeait la seringue et devait s'y reprendre à plusieurs fois, prolongeant malgré lui la douleur de la piqûre. Je me souviens de son embarras à frapper mon tibia ou ma rotule avec son maillet en cuir, de sa voix inquiète lorsqu'il me demandait de tousser ou de retenir ma respiration, de ses doigts hésitant entre mes omoplates, cherchant leur chemin, revenant en arrière, errant sur ma peau grelottante. Il devait se faire violence pour porter un coup, enfoncer une aiguille ou guetter une anomalie quelconque avec son stéthoscope. Ce n'était pas un mauvais médecin. Il se montrait, au contraire, extrêmement consciencieux. Trop, même. Ses examens n'en finissaient pas. Par peur de commettre une erreur de diagnostic, il auscultait avec une minutie, un soin, une lenteur infinis, mais aussi avec réticence, à contrecœur, comme s'il anticipait à chaque fois le pire. Il redoutait tout autant de passer à côté du mal que de le trouver. Il n'aimait pas son métier.

Il était incapable de soigner une plaie à vif. Il ne supportait pas la vue du sang. Il ne pouvait pas pénétrer dans une boucherie, ni manger une viande trop rouge sans manquer de s'évanouir. Un soir, lors d'un dîner mondain, il devint blême à la vue d'un steak ruisselant d'hémoglobine. Il tenta de le faire disparaître sous la table, mais fut surpris par la maîtresse de maison qui éclata de rire. Tout penaud, il dut ressortir du bout des doigts la bidoche de sa serviette et la remettre dans son assiette, avec un air de dégoût, comme s'il avait trouvé un rat mort. Il manifestait la même révulsion pour les abats : ris, cervelle, tripes, pieds, oreilles… La partie charnelle de sa profession, cette confrontation avec des corps souffrants, toutes ces glottes à inspecter, ces ganglions à palper, ces gargouillis à écouter, ces pouls à tâter, ces bacilles à combattre, le répugnait. La vie bouillonnante lui faisait peur. Plus encore, c'était la mort qu'il ne supportait pas. Perdre un patient le rendait profondément malheureux. À la pratique, il préférait la théorie. Les livres. La recherche. La blancheur aseptisée des laboratoires. Sans illusion. Il connaissait les limites de la science. Convaincu que son ennemi désigné empruntait tout autant aux mécanismes du corps qu'aux forces de l'esprit, il aimait explorer des domaines ignorés par ses pairs comme l'inconscient, la folie, les troubles psychosomatiques. Il aurait fait un très bon psychanalyste.

Il ne mettait jamais son caducée derrière le pare-brise de la voiture. Il ne jugeait pas davantage utile d'apposer une plaque en cuivre rutilante sur la rue, avec ses titres à rallonge. Sans doute pour ne pas révéler la présence d'un nom en « ski » dans ce quartier vieille France, et peut-être aussi pour ne pas attirer davantage de patients. Il ne courait pas après les honoraires et limitait ses consultations à trois ou quatre heures l'après-midi. Sa clientèle se composait pour l'essentiel de femmes d'âge mûr qui lui étaient fidèles depuis des années et lui vouaient un attachement quasi amoureux. Elles le vénéraient. Lui, au moins, ne les éconduisait pas au bout de cinq minutes. Il les recevait longuement, comme de vieilles amies. Cet homme qui ne disait pas un mot à ses proches leur parlait avec chaleur. Il prenait au sérieux leurs tracas, leurs migraines, leurs insomnies, leurs douleurs chroniques. Il les appelait ses « petits mentaux », des personnes avec des pathologies bénignes occasionnées par des facteurs principalement émotionnels ou affectifs. Mais dès qu'elles présentaient un symptôme inquiétant, au lieu de leurs bobos habituels, dès qu'elles tombaient vraiment malades, ce qui, avec le temps, ne manquait pas d'arriver, il proclamait aussitôt son incompétence, invoquait la nécessité de recourir à d'autres spécialités que la sienne et se dépêchait de les refiler à un confrère.

6

Ses études brillantes constellaient la cheminée du bureau comme des décorations sur la poitrine d'un général russe. Rondes ou rectangulaires, lisses ou striées, elles en imposaient par leur densité, leur épaisseur. Elles avaient le visage d'une Minerve casquée, d'un Pasteur pensant, d'une Hygie guérisseuse. De Marianne, surtout. D'une France vouée au savoir et à l'émulation. En exergue, ces pièces de métal retraçaient une scolarité couronnée de succès, un parcours universitaire sans fautes, une carrière exemplaire. Premier prix en argent, satisfecit coulé dans le bronze. Une jeunesse méritante payée en espèces. Des deniers de la République parfois déposés en gage au Crédit municipal, lors de périodes de dèche. Comme la médaille d'or de l'internat de médecine, la plus précieuse de toutes. Le seul objet dont j'ai hérité de lui. Une centaine de grammes d'or pur décernés en 1928 et plusieurs fois mis au clou, avant et durant la guerre. Chaque médaille a ses revers. Toutes ces récompenses monétiformes alignées sur la plaque de marbre gris, face au miroir, à côté du téléphone, formaient une sorte d'autel à l'instruction publique, à Jules Ferry et à ses œuvres.

7

De son enfance, je ne connais que cela. L'histoire édifiante, maintes fois racontée, d'une intégration réussie, d'une ascension sociale rapide, par la grâce de l'école républicaine. Le couple venu de Russie, végétant dans la pauvreté aux Batignolles. Les changements de logement au rythme des paies. La soupente minuscule, le rez-de-chaussée insalubre, et enfin le trois-pièces donnant sur la cour, puis sur la rue. Le père ouvrier carrossier, revenant tard le soir ou tôt le matin, usé, miné autant par le travail que par les longs intervalles de chômage. La mère encore sous le choc de son déclassement brutal, déçue, désemparée, fuyant dans le passé ou l'avenir un présent qu'elle juge triste et vulgaire. Le fils unique devenu son avatar dans un monde dont elle ne connaît ni les codes ni la langue. Un garçon sage qu'elle écoute avec fierté ânonner « Nos ancêtres les Gaulois » avec son accent des faubourgs, en qui elle va placer ses ambitions démesurées, sa soif inassouvie de revanche. Un bon petit Français en culotte courte remarqué par ses maîtres, toujours premier et déjà seul, délaissant billes et osselets pour se dépêcher de rentrer chez lui faire ses devoirs. Les bourses successives délivrées par la Ville de Paris. Et, en fin d'année, les tableaux d'honneur, les prix, les beaux livres, les médailles remis devant les parents admiratifs qui, dans le brouhaha, ne comprennent rien, sauf son nom, le leur, prononcé avec solennité, sous le préau.

Mais était-ce le leur ? Quand je pose cette question toute simple autour de moi, j'obtiens des réponses embarrassées et contradictoires. Je suis incapable de décliner leur identité au complet. Ce sont presque des anonymes dont la vie se résume à une poignée d'anecdotes. Et pour Niania, à un diminutif exotique. À une fonction. Elle prétendait être une Macagon. Un nom à la consonance russe, du moins à ses oreilles, qui la remplissait d'orgueil, comme s'il comportait une particule. Je le transcris phonétiquement, car il ne figure sur aucun document officiel. Je devrais le mettre entre guillemets tant son authenticité m'a toujours paru douteuse. Ses amis français, ses connaissances, plus tard, ses collègues de travail l'appelaient Hélène. La version francisée d'Helena. Et son mari ? L'aïeul ?

Le stentor d'Odessa ? Son décès précoce, avant que la famille emménage Rue-de-Grenelle et finisse par se confondre avec ses murs, rend son existence encore plus fantomatique. Dans cette histoire, il plane telle une ombre suspendue en arrière-fond. Avant d'entamer mes recherches, j'ignorais jusqu'à son prénom. Mon père l'avait oublié. Christian, après une courte hésitation, a répondu : « David ». David Boltanski.

8

Ils n'ont qu'un seul point d'appui : leur fils. Sur le plan administratif ou social, ils naissent avec lui. Avant, au regard du droit français, ils ne sont rien ou pas grand-chose. Deux étrangers en situation plus ou moins régulière. À Paris, les registres d'état civil sont numérisés de 1860 à 1902. On peut les consulter sur Internet. Une fenêtre en haut à gauche de l'écran permet de zoomer sur la partie du texte désirée. Le nom de famille apparaît dans la marge, écrit à la plume, avec des pleins et des déliés, des majuscules torsadées, des « s » sinueux, comme on l'apprenait à la communale.

L'an mil huit cent quatre-vingt-seize, le cinq mars, à trois heures et demie du soir, acte de naissance d'Étienne Alexandre Boltanski de sexe masculin, né le trois de ce mois à deux heures du matin, avenue de Saint-Ouen n° 105, fils de David Boltanski, âgé de quarante et

un ans, sellier, et de Enta Fainstein, âgée de vingt-cinq
ans, sans profession, mariés, domiciliés rue de Tocque-
ville n° 101. Dressé par nous, Léon Henri Thiébaut,
adjoint au maire, officier de l'état civil du 17ᵉ arron-
dissement de Paris, chevalier de la Légion d'honneur,
sur la présentation de l'enfant et la déclaration du père,
en présence de Jacques Lebedinsky, vingt-quatre ans,
étudiant en médecine demeurant 5 rue Lalande, et
de Martin Redon, âgé de trente-trois ans, journalier,
demeurant rue de Tocqueville n° 101, témoins qui ont
signé avec le déclarant et nous après lecture.

Malgré cette sécheresse bureaucratique, j'ai
l'impression de voir une photo. Trois hommes
intimidés, face à un fonctionnaire qui en impose
avec sa redingote barrée de rouge et son jargon de guichetier. Celui avec le bébé dans les
bras, c'est bien David. Je ne l'imaginais pas si
vieux. Quarante et un ans. Un âge tardif pour
tout quitter, son pays, ses proches, ses habitudes,
et entamer une nouvelle vie. À ses côtés, deux
témoins trouvés en catastrophe. Martin Redon,
un voisin, puisqu'il habite à la même adresse, au
101, rue de Tocqueville. Jacques Lebedinsky, en
revanche, qui est-il ? Sans doute un compatriote.
Ami, cousin ou simple relation. Au vu de ses
études, il maîtrise le français et peut l'aider dans
ses démarches auprès des autorités. Enfin, une
absente : la mère encore alitée dont le nom de
jeune fille n'est pas Hélène Macagon, mais Enta
Fainstein. Du moins sur ce papier.

Qu'est-ce qui est vrai dans tout cela ? Un état civil se falsifie, en particulier dans la Russie tsariste, pour échapper au service militaire, franchir des frontières, sortir de la zone de résidence et vivre à Moscou ou Saint-Pétersbourg. Je ne dispose que d'une seule autre source : des in-folio poussiéreux, parfois encore non découpés, conservés précieusement dans la bibliothèque du bureau et signés Annie Lauran. Certes, il s'agit de romans. Il est évidemment vain de les prendre pour autre chose que des œuvres littéraires, de les lire comme des procès-verbaux ou des constats d'huissier, de juger leur auteur par la personne, de confondre ses caractères romanesques et ses fréquentations dans la vie courante, d'enfermer ses ouvrages dans une interprétation unique et littérale, de prétendre qu'ils sortent tout cuits du réel et non de son imaginaire. *Et cætera*. Seulement voilà, comment ne pas faire le parallèle entre Étienne Boltanski et « Louis Gatowsky », héros du *Gâteau du samedi*, « physicien d'avenir » couvé par sa mère, cette femme « toujours en noir », arrivée à Paris « un soir d'hiver », avec « sous son bras un samovar » ? Ou « Michel Barsky », décrit dans *Celle que j'étais hier* comme un jeune homme « sérieux », « sensible », « innocent », « au visage bronzé, et aux cheveux noirs ondulés » qui vit, lui aussi, avec sa mère ? Ou encore l'enfant de *Réanimensonge*, « né si vite, l'enfant aux yeux longs, pas comme ceux d'ici », « fils d'Hélène, d'Enta ignorante

94

aux longues tresses brunes [...] venue d'Odessa, chercher la liberté » ?

La lecture des livres de ma grand-mère, inspirés de sa belle-famille, révèle à quel point les informations fournies à la mairie du 17e fourmillent d'erreurs, volontaires ou non. Le père ne se prénommerait pas David, mais Ilya ou Ilioucha. Élie en russe. Comme son petit-fils, qu'il ne connaîtra jamais. La mère s'appelle effectivement Enta, Entele, Fainstein, ou du moins tel est le nom qui figure sur son passeport, et non pas Hélène Macagon, comme elle l'affirme. Elle ment aussi sur son âge. Elle n'a pas vingt-cinq ans. On le sait déjà : elle est beaucoup plus jeune, peut-être même encore mineure. Elle a tout quitté, sa ville, son pays, sa famille, son confort, pour un homme qui pourrait être son père. Le couple vit au 105, avenue de Saint-Ouen, dixit Annie Lauran, entre la porte du même nom et la petite ceinture, dans un « rez-de-chaussée puant », occupé aujourd'hui, à gauche par une boucherie-rôtisserie, à droite par un salon de coiffure. Ou s'agit-il, plutôt, de l'entresol éclairé par de minuscules fenêtres ? Dans une de ces ouvertures étroites qui ressemblent à des meurtrières, on aperçoit un buste en plâtre de Marianne, le visage tourné vers la vitre, comme si, dorénavant, la République avait décidé de tourner le dos à cette allée bruyante et triste, bordée de marronniers, menant au marché aux puces. Qui habite alors au 101, rue de Tocqueville, un immeuble haussmannien plus huppé que le précédent, flanqué d'un traiteur chinois et situé à deux pas de la porte d'Asnières ?

Mon grand-père répétait que le patronyme qu'il nous avait transmis comportait une erreur. Il avait été, selon lui, mal orthographié par les services français d'immigration et aurait dû, conformément aux règles de translittération du cyrillique en caractères latins, se terminer par un « y », non par un « i ». Boltanski dérive vraisemblablement d'un nom de lieu : Balta, une ville située à cent quatre-vingt-trois kilomètres au nord-ouest d'Odessa, dont la population était majoritairement juive jusqu'à la Seconde Guerre mondiale et qui fut tour à tour ottomane, polonaise, russe, soviétique, roumaine et enfin ukrainienne. Bien d'autres écritures auraient été possibles dans cette Europe de l'Est où la graphie n'a cessé de varier au gré des conquêtes et des redécoupages : Boltanskij, Baltanski, Baltansky, Baltyanski, Baltyansky, Baltyanski, Baltyyanskij, Boltyanski, Boltyansky, Boltyanskij… L'insistance avec laquelle Grand-Papa revenait sur cette méprise plutôt anodine, au regard de la couche épaisse de mystère qui entoure son histoire familiale, m'incite à croire qu'il mettait dans cette terminaison bien plus qu'un son mouillé. Quelque chose qui relève de l'identité.

À l'école, Étienne était fier d'être russe. Russe comme Nicolas II, traversant Paris en carrosse, au côté du président Félix Faure, celui que la presse satirique surnommait Felixkoff. Russe comme la flotte tsariste pavoisant dans la baie de Toulon ou les bals donnés à Saint-Pétersbourg en l'honneur de dignitaires républicains. Russe comme l'ours couronné des caricatures, cauchemar du kaiser Guillaume. Russe comme la petite fille recouverte de dentelles qui ornait les boîtes à biscuits Exquis Guillout ou les « bonbonof ruskof », les sucreries vendues sur les boulevards. Comme l'emprunt que tout le monde s'arrachait, ces titres aux couleurs délavées, libellés en roubles, qui ne seront bientôt plus que des bouts de papier. Pour ses camarades ébahis, il appartenait à ce puissant empire qui permettait à la France de sortir de son isolement, qui, insistait-on à l'envi, terrorisait l'Allemagne et rendait une nouvelle guerre impossible. Il avait le crâne rempli d'images d'Épinal, de cartes postales, de timbres célébrant l'alliance franco-russe, frappés de barbus sérénissimes aux épaulettes à franges et d'aigles à deux têtes sur fond d'or. Il vivait dans un monde imaginaire formé de cosaques lancés au galop, de courriers du tsar, de Michel Strogoff affrontant les hordes tatares.

Jusqu'à cette fin de journée de printemps,

chaude et ensoleillée. Sa seconde naissance. Il avait neuf ans. Contrairement à son habitude, sa mère était venue le chercher à la sortie des classes. Elle l'appelait son petit roi et lui caressait les cheveux, tout en descendant l'avenue de Villiers. Comment puis-je connaître tous ces détails ? La scène est rapportée avec minutie dans *Le Gâteau du samedi* et *Réanimensonge*. On me l'a aussi racontée plusieurs fois sur le ton de la blague. Étienne riait, il dégageait sa main pour courir et arracher les feuilles vertes qui dépassaient des grilles. Quand il tendit à sa mère le bouquet touffu, elle s'arrêta, le prit dans ses bras et le serra très fort contre sa blouse blanche brodée. Autour d'eux, c'était le Paris de la Belle Époque. Des chevaux passaient, des fouets claquaient. Des chapeaux déambulaient. Elle esquissa un sourire forcé. Sa voix était étrange. La première fois, il ne comprit pas la question. « Tu ne détestes pas les Juifs, n'est-ce pas ? » répéta-t-elle. Elle lui faisait un peu mal, elle l'étouffait presque. Pour se libérer de son étreinte et parce qu'il était un enfant bien sage, gentil avec tout le monde, il répondit : « Non », de sa voix d'élève soucieux de donner la bonne réponse. Il vit le visage de sa mère se détendre d'un seul coup. Elle l'embrassa sur le front et lui dit : « Ah ! Je suis bien heureuse, parce que ton papa et moi, nous sommes juifs. Tu es juif, mon petit chéri. »

D'autres images submergèrent son esprit.

Des caricatures entraperçues à la une de ces mêmes journaux qui célébraient le grand frère russe. Des dessins de croque-mitaines aux lèvres épaisses et aux nez recourbés, accompagnant d'innombrables histoires drôles, ou considérées comme telles, dans des almanachs ou des calendriers. Des affiches, destinées cette fois à faire peur, placardées dans les rues, à la veille des élections, dénonçant un ennemi invisible. Il se souvint des épithètes criées aux tricheurs, des insultes lancées par les copains de classe, durant la récréation, avec tant de naturel, comme si elles relevaient de l'évidence. Peut-être même sorties de sa propre bouche. Il fut pris de nausée. Elle s'étonna de sa pâleur, décida de lui offrir un gâteau pour son goûter. Peut-être voulait-elle marquer l'événement. Il n'avait pas faim. Elle dut le traîner jusqu'à la pâtisserie de la place Pereire et le gronda lorsqu'il laissa tomber sa tarte aux cerises sur le carrelage du magasin.

10

Il possédait un jumeau, un double, mais inversé. Mêmes origines, même âge, à un mois près, mêmes études et deux personnalités, deux destins aussi opposés que l'eau et le feu. Théodore Fraenkel était son ombre, son contraire, son bon petit diable. Celui qu'il aurait pu être.

À Odessa, leurs pères se connaissaient. Ils étaient plus ou moins voisins. Celui de Théodore fut le premier à émigrer à Paris. David ou Eliahou – qu'importe son prénom – avait-il suivi son exemple ? Leurs deux enfants se retrouvèrent sur les mêmes bancs, à Chaptal, un collège moderne, autrement dit sans latin, ni grec, boulevard des Batignolles. Ils voulaient l'un et l'autre devenir écrivains. Étienne lisait Alphonse Daudet, Jules Renard, Pierre Loti. Des auteurs académiques, taillés pour l'habit vert, bien français, dignes d'être décernés en fin d'année. Des livres de prix d'école. Sans doute ceux qu'il avait reçus. Son compagnon affichait des goûts moins convenus : Mallarmé, Huysmans, Baudelaire. Alfred Jarry, surtout. Il jouait à Ubu. Il proférait des mots bizarres, en estropiait d'autres, inventait des épenthèses, composait des pastiches et des acrostiches, recourait à des anagrammes. Il montait aussi des canulars, des supercheries incroyables qui lui attiraient des tas d'ennuis. Fédia, comme Étienne l'appelait, pouvait être génial, drôle, cruel. Il était à la fois son meilleur ami et son pire persécuteur, moquant sans cesse son sérieux et son côté paumé. Théodore lui préféra vite un autre condisciple : un jeune oracle au front haut et aux gestes lents. D'après ses biographes, André Breton aurait remarqué l'élève Fraenkel à sa manière de déclamer des vers. Il aurait été séduit par ses ricanements désabusés, ses haussements d'épaules, son esprit féroce, son ironie froide. Les deux lycéens partageaient la même passion pour la poésie, l'insolite, l'humour noir, la provocation, l'anarchisme, l'illégalisme. Ils admiraient Jules Bonnot et sa bande de braqueurs motorisés dont *Le Petit Journal* relatait les moindres méfaits. Après les cours, ils arpentaient le musée Gustave-Moreau et fantasmaient sur ses naïades lointaines et évanescentes. Ils ne se quittèrent plus jusqu'à leur inévitable rupture.

Sans jamais avoir été dadaïste ou surréaliste, Étienne fit partie de ce que l'on pourrait considérer comme le noyau originel de l'avant-garde bretonienne : le Club des sophistes. Un truc de potaches, mais qui présentait déjà les caractéristiques des groupes à venir : réunions fermées, disciples choisis et maître à penser. André Breton en était évidemment le chef de file ; Théodore Fraenkel, le bras armé. J'ignore quel rôle tenait mon grand-père. J'ai beaucoup de mal à l'imaginer dans un cénacle exaltant l'éloquence et, plus encore, à l'associer à des soirées bouffonnes arrosées d'absinthe. Je ne crois pas qu'il ait contribué à leur revue de poésie tenue par René Hilsum, le futur éditeur du Sans Pareil. En 1913, ils s'inscrivirent tous les trois en propédeutique et commencèrent, l'année suivante, la faculté de médecine. Par défaut, aucun d'entre eux n'ayant véritablement la vocation, et avec un ensemble parfait, comme s'ils étaient inséparables. Encore une fois, je ne sais pas qui a entraîné les autres. Dans ce trio, Étienne le taciturne détonne. À moins qu'il n'ait été alors une tout autre personne ? Un être enflammé, inventif, sûr de lui et, pourquoi pas, audacieux ?

11

Quand et comment a-t-il été brisé ? La première fois, en même temps que des millions d'hommes : les pieds dans la boue, face à une levée de terre molle, garnie de matériaux, de déchets divers, rehaussée de chevaux de frise et de fils de fer tortillés en buissons, dans une fosse étroite, soumise à des tremblements violents, exhalant une odeur de pisse, de merde, de sueur et de viande de boucherie. À ses deux années passées dans les tranchées, on aurait pu consacrer un livre entier s'il avait transmis des souvenirs, tenu un journal, conservé des lettres même biffées par la censure. Mais il n'a rien laissé. De son vivant, il n'était pas plus disert. Lorsque nous l'interrogions sur sa guerre, il nous renvoyait systématiquement à la lecture du *Feu*. Comme si Henri Barbusse, réformé en 1916 pour raison de santé, au moment où il était lui-même mobilisé, avait tout dit : les corps terreux, plongés dans la torpeur, accroupis, le nez entre les genoux, les godillots collés à la glaise, le froid intense, l'attente, le cri des torpilles, le sifflement des shrapnels, le bruit de tonnerre des gros percutants, le souffle lent de l'obus de 75, tout cet art auditif qui permet de savoir si l'on va vivre ou mourir, la peur panique au moment d'enjamber le parapet, le désert de lune entre les deux lignes ennemies, immense, plein d'eau, strié d'ornières, hérissé de poutres, de madriers et de lianes de fer, les cadavres empilés dans les trous qui rebondissent sous les pieds ou accrochés aux barbelés, transformés en épouvantails, les bras en croix, le hurlement continu des blessés durant la nuit, l'ami que l'on tente de reconnaître dans le monstre immobile aux yeux cuits, planté dans le sol, telle une épave.

Il aurait pu obtenir un sursis au titre de ses études. « Si tu ne pars pas te battre et ne reviens pas décoré, tu n'es plus mon fils », le prévint sa mère. Comme on dit, il s'exécuta. S'était-il laissé gagner par l'ivresse patriotique ? Ou, après deux ans de carnage, pressentait-il l'inanité d'une conflagration qui allait détruire l'Europe ? Il fit en sorte d'obéir à l'injonction maternelle sans avoir à faire le don de sa personne. Plutôt que de se porter volontaire, il ne répondit pas à la convocation, sachant qu'il serait de ce fait incorporé d'office. Un matin, les gendarmes vinrent le chercher. L'armée le bombarda médecin auxiliaire et l'affecta au 54e régiment d'infanterie, à la tête d'une section de brancardiers. Il fut envoyé sur le front le 21 novembre 1916.

Il dirigeait un poste de secours, un trou recouvert de planches et de deux mètres de terre meuble, surmonté d'un fanion de la Croix-Rouge. Un lieu d'observation privilégié de la mort de masse, industrielle, violente et anonyme, engendrée par la guerre moderne. Dans cette chaîne exterminatrice, il n'était qu'un maillon impuissant. En l'absence de pénicilline qui ne serait découverte par Alexander Fleming qu'en 1928, son action se limitait à la pose de pansements sommaires ou de bandes plâtrées. Il se dépêchait ensuite de remplir une fiche qu'il accrochait au vêtement du moribond. Nom, régiment, nature de la blessure, injection ou non de sérum antitétanique. Il se conformait à la doctrine enseignée alors au Val-de-Grâce, fondée sur l'expérience des conflits précédents. Les balles ayant été purifiées par le feu, les blessures de guerre étaient réputées aseptiques. Pour éviter de les souiller, il ne fallait donc pas y toucher. Les formations sanitaires de l'avant devaient se contenter de stopper l'hémorragie, d'arrêter les écoulements, d'immobiliser les fractures et d'évacuer le patient le plus loin possible. Avant de s'apercevoir de son erreur, la Faculté militaire déconseillait les interventions chirurgicales. Le poilu, assurait-elle, allait guérir de lui-même. Elle s'aperçut tardivement que les trois quarts des plaies étaient causées par des éclats d'obus qui, mêlés à la boue, l'eau putride et le tissu sale des vareuses, provoquaient des infections immédiates. À l'issue d'un voyage de plusieurs jours dans des ambulances brinquebalantes, puis à bord de trains bondés, les grands blessés parvenaient aux hôpitaux de l'arrière atteints pour la plupart de tétanos ou de gangrène gazeuse.

Le *Journal des marches et opérations*, tenu dans chaque unité et accessible depuis peu sur Internet, ne décrit pas les êtres d'épouvante qui affluent à l'infirmerie, avec leurs visages terreux, leurs intestins à l'air, leurs moignons sanglants, leurs demi-fesses, le larynx arraché, comme si on les avait égorgés, encore capables d'émettre des sons, malgré leurs crânes ouverts qui découvrent les méandres d'un cerveau écarlate. Il ne détaille pas davantage les conditions de travail à l'intérieur de l'abri : les blessés qui s'agrippent à la blouse et supplient d'être soignés en premier, les relents de vomi, d'éther et de crasse chaude, la lampe à acétylène qui s'éteint à chaque fois qu'une « marmite » tombe à proximité, le sol gorgé d'eau et de sang, les doigts boueux tâtonnant dans l'obscurité pour trouver la plaie et la badigeonner de teinture d'iode, les dépouilles gonflées et couvertes de mouches entassées à l'extérieur, le martelage sourd, toutes les demi-secondes, qui vous jette à terre et risque de transformer la galerie en tombeau. Rien sur les coups de sifflet, les « En avant ! » hurlés par des officiers, la course éperdue derrière la vague d'assaut, les tac-tac des mitrailleuses, les cris, les explosions, les corps impossibles à soulever tellement ils sont lourds, la civière qui tangue dans la vase, les brancardiers mourant les uns après les autres, dont on ne retrouve qu'une gadoue rouge, comme le meilleur ami de mon grand-père, le fils d'un commerçant juif de Roubaix que tout le monde appelait le « Fileuzeuf », non pas du fait de sa capacité à fabriquer des concepts, mais à cause du flegme qu'il montrait en toutes circonstances. Pas un mot, non plus, sur le pire hiver de la guerre. Ah si ! Quelques litotes égrenées au fil des jours. 26 novembre 1916 : « L'état sanitaire est devenu mauvais (nombreuses évacuations pour gelures des pieds). » 10 décembre 1916 : « Relève dans la nuit sans incident, mais très pénible en raison de la pluie et de la boue. » 15 janvier 1917 : « Marche de 30 km, temps froid. » Même la guerre est décrite avec l'âpreté d'un bulletin météo, comme s'il s'agissait d'un intermède orageux. Du 10 au 19 mars de la même année : « Activité d'artillerie ennemie d'à peu près nulle devient de plus en plus active… Le dégel rend les tranchées et les boyaux à peu près impraticables. »

Ce livre de bord permet en revanche de suivre Étienne pas à pas, avec la précision d'un GPS, de l'accompagner dans chacun de ses déplacements, ses interminables mouvements pendulaires, ses cantonnements, ses montées en ligne au rythme des offensives, ses marches et ses contremarches, le plus souvent de nuit, épuisantes, inimaginables pour cet homme qui ne marche pas, de connaître surtout ses destinations. Des cimetières géants. La Somme, d'abord, fin 1916. Un million de victimes. Ferme de Bois-l'Abbé, épine de Malassise, ravin de Bouchavesnes, bois de Riez, moulin de Fargny. Ferme, ravin, bois, moulin qui ne sont déjà plus que des points sur des cartes d'état-major, qu'une débâcle de décombres et de troncs décapités. Le Chemin des Dames, ensuite, de janvier à la mi-mai 1917. Cinq cent mille morts, de part et d'autre. Soupir, Moussy, Braisne, bois d'Hauzy, Saint-Mard, la ferme de la Montagne, Ostel, Château Ruiné, la Gargousse, l'épine de Chevregny, les cavernes de Coblentz. Derrière ces noms, un plateau tourmenté, des pentes escarpées parsemées de grottes et, tout en haut, une succession d'obstacles, une barre imprenable baptisée Hindenburg. Et autant de charges et de charniers. Des attaques dont l'absurdité saute aux yeux des hommes qui les mènent, avec la même violence que des obus. Tirs trop courts, objectifs trop lointains, tactiques grossières, éventées avant même d'être mises en œuvre. Fut-il le témoin des premiers actes de désobéissance ? Envisagea-t-il, lui-même, de faire défection, de fuir cette tuerie inutile ?

Une telle expérience traumatique n'était pas communicable. Dans *Œuvres III*, Walter Benjamin fait remonter la disparition du conteur au premier conflit mondial. Car, explique-t-il, c'est la mort qui transforme la vie en récit. Elle seule fait défiler une existence en une série d'images hétéroclites et les ordonne en quelque chose qui ressemble à un destin. Pas d'épopée, pas de chanson de geste sans un trépas exemplaire. Mais lorsqu'elle est rendue anonyme, et ramenée à une simple opération mécanique, la mort ne peut plus exercer son rôle de sanction ni, donc, générer la matière dont sont faites les histoires. Les soldats de Quatorze, célébrés en tant qu'inconnus parce qu'ils ont été réduits à du matériel humain jugé abondant et interchangeable, sont revenus muets du champ de bataille. Lui comme les autres. Son registre de matricule, conservé aux archives de la Ville de Paris, signale une croix de guerre en date du 1er août 1917. Cette médaille-là n'a jamais traîné sur la cheminée du bureau.

12

Elle reposait à l'intérieur du secrétaire louis-philippard en noyer massif accolé à la croisée du milieu. Bien enfouie, derrière l'abattant, au fond d'un casier. Peut-être même oubliée jusqu'à aujourd'hui dans l'une des caches de ce meuble à surprises où les jeunes filles des siècles antérieurs avaient l'habitude d'entreposer leurs correspondances galantes. Dans mon souvenir, il suffisait d'appuyer sur un bouton-poussoir ou de tirer une languette – je ne sais plus très bien – pour ouvrir une trappe masquée par un pilastre.

Mon grand-père rangeait dans ces petits tiroirs de menus objets, dénués de valeur marchande ou esthétique, mais à forte charge affective, qui, par leur juxtaposition, prenaient sens et laissaient entrevoir son univers ou plutôt son désordre intérieur. Apparus avec la Renaissance et les grandes découvertes, les cabinets de curiosités, savants ou princiers, offraient eux aussi une représentation du monde. Ancêtres des musées, ils renfermaient d'incroyables bric-à-brac allant du turban du Grand Eunuque de Constantinople à la tête d'un cyclope, en passant par des momies égyptiennes, des codex mexicains ou des bézoards, ces pierres retrouvées dans l'appareil digestif de certains animaux à qui l'on prêtait toutes sortes de propriétés magiques. Et aussi des médailles, des monnaies anciennes, des parchemins, de l'argent reposant dans des compartiments actionnés par des mécanismes internes savamment dissimulés. Le théâtre intime de mon grand-père ne renvoyait qu'à une seule forme de bizarrerie : la guerre.

Outre la croix homonyme, le secrétaire contenait, pêle-mêle, son étoile jaune, la même qui avait fait dire une fois à la bonne, par candeur ou cruauté : « J'ai vu dans la rue un monsieur avec une cocarde comme celle de Monsieur, mais à Monsieur, elle va beaucoup mieux », de faux papiers établis par l'un de ses amis, un chirurgien devenu, à la faveur des événements, un habile contrefacteur, et un journal plié en quatre qu'il exhuma du tiroir, un après-midi, une fois son dernier patient parti, et déploya devant moi. Il devait me juger assez grand pour saisir la signification du mot en majuscules, imprimé en caractères noirs et gras, qui revenait à chaque ligne, suivi ou précédé par les épithètes : « pouilleux », « agioteur », « parasite », « négroïde », « indésirable », « envahisseur » ou « escroc ». À la différence des hebdomadaires actuels, *Au Pilori* n'avait pas pour vocation d'informer. Comme son nom l'indique, il dénonçait. Il désignait à la vindicte et plus encore aux bourreaux une catégorie précise de la population. Le numéro était daté du 16 août 1940. Sous la manchette « Épurons la France ! », une caricature représentait un homme au nez crochu, un cigare à la bouche et une montre de gousset pendue à son gros ventre, admirant d'un air repu un champ de bataille jonché de cadavres français. Suivaient des listes d'individus classés par catégories professionnelles et introduits toujours par le même mot en majuscule. Deux mois après la défaite, *Au Pilori* entamait sa campagne délatrice par les métiers jugés les plus sensibles car touchant au corps ou à l'esprit. En page 2, il procédait à l'inventaire des médecins et professeurs juifs chefs de service dans les établissements de l'Assistance publique de Paris. Pour l'hôpital Saint-Antoine, huit noms étaient cités. Dont le sien.

13

Quelqu'un le lui a-t-il donné ou s'est-il précipité au kiosque du boulevard Raspail pour l'acheter ? Je l'imagine scrutant le journal, glissant
son doigt sur le papier, avec la même fébrilité
qu'il parcourait les résultats des concours affi-
chés dans le hall de la faculté, boulevard Saint-
Germain. Passé sa stupeur, il tente sans doute de
se rassurer. Cette liste-là, aussi, lui est familière.
Combien de fois a-t-il retrouvé son patronyme
effacé sur le tableau de garde et remplacé par un
« sale juif » griffonné à la craie ? Les apprécia-
tions consignées, année après année, sur sa fiche
administrative – « excellent élève digne d'être
nommé interne », « très bon externe à tous les
points de vue », « interne très sérieux, consciencieux » – n'y changent rien. Depuis le début de
ses études, il subit un autre examen contre lequel
il ne peut lutter. Lorsqu'il est arrivé deuxième à
l'écrit de l'agrégation de médecine, son patron
l'a dissuadé de passer l'oral : « Inutile, lui a-t-il
dit. Vous ne serez pas pris. On a déjà nommé un
Juif l'an dernier. » La Caisse des dépôts et consi-
gnations a rejeté sa candidature à un poste de
médecin du travail sans même l'étudier. « Nous
sommes très ennuyés, lui répondit le directeur.
Nous aurions été heureux de vous embaucher,
mais on nous a dit que vous êtes de confession
israélite. »

L'habitude l'incite à sous-estimer la menace. Il veut croire à une énième poussée de fièvre d'un mal chronique qu'il connaît trop bien. Son milieu dit hospitalier, immaculé, assermenté nourrit un antisémitisme virulent. Durant l'entre-deux-guerres, il a essayé d'ignorer cette haine qui ne cessait de grossir. Les blagues de carabins sur sa tête de « rastaquouère », les échauffourées autour de la faculté aux cris de « dehors les métèques », les appels, lors de réunions syndicales, à le chasser lui et ses semblables de l'Assistance publique, les réflexions d'éminents confrères sur ces gens qui « barbotent des clients » et prennent la place de « bons Français », ou cet article du « Dr Bosc », paru dans le *Journal de l'association des externes de Paris*, fustigeant les « hordes de Huns », les « invraisemblables boutures levantines » parties « à l'assaut de la médecine française », et dressant – déjà – des listes d'étudiants aux noms à coucher dehors.

14

Son statut d'ancien combattant lui permet d'échapper aux premières lois édictées par Vichy qui interdisent aux Juifs d'être membres d'une administration publique et donc d'exercer une fonction hospitalière, puis limitent leur nombre à 2 % du corps médical. Pendant un temps, il assure sa consultation à Saint-Antoine. Il n'est déjà plus qu'un homme en sursis, dépouillé de ses oripeaux de grand patron, bientôt réduit à son étoile cousue sur sa blouse blanche. « Il est parfaitement normal que vous arboriez un signe distinctif, lui explique l'un de ses internes d'un ton docte. Au Moyen Âge, ne portiez-vous pas déjà la rouelle ? » Il continue de recevoir à son domicile une clientèle de plus en plus rare. Il ne peut plus prendre de rendez-vous. Son téléphone lui a été confisqué, tout comme sa voiture et son poste de TSF. Il sort le moins possible. Depuis août 1941, les rafles ne visent plus seulement les étrangers, mais aussi les Français. Il sait qu'il peut être arrêté et envoyé dans ce lieu dont tout le monde parle au nord de Paris, une bâtisse en forme de fer à cheval, entourée depuis peu de miradors et appelée Drancy. « Que faites-vous, docteur ? » lui demande une malade en le cherchant des yeux. Il était assis, en train de remplir son ordonnance et, d'un seul coup, il a disparu de son champ de vision. La femme se penche en avant et le retrouve accroupi par terre. En entendant la sonnette, il a pris peur et a plongé sous le bureau Louis XIII.

Au cours de sa séance du 3 décembre 1942, le conseil de surveillance de l'Assistance publique de Paris, présidé par un « M. Brodin », décide la mise en disponibilité de trois membres du corps médical des hôpitaux qui, « pour des raisons diverses, ont cessé d'assurer leur service depuis un certain temps ». Les médecins touchés par ces mesures sont : « MM. les docteurs Boltanski, médecin, chef de consultation à l'hôpital Saint-Antoine, René Bloch, chirurgien, chef de service à l'hospice Saint-Vincent-de-Paul, Maduro, oto-rhinolaryngologiste des hôpitaux. »

15

La signature à l'encre violette du chef de division de la préfecture de police a été imitée. Tout comme le cachet de l'État français, sans doute, taillé dans du linoléum. La carte d'identité est vraie. Rien de plus simple. Toutes les librairies en vendent. Son titulaire l'achète vierge et la fait ensuite remplir au commissariat. Elle porte, en haut, à droite, un numéro à quatre chiffres compatible avec sa date d'émission et un timbre fiscal de 13 francs frappé d'un tampon également contrefait. Les données anthropométriques collent au plus près à la réalité. Taille 1,60 m. Cheveux bruns. Yeux marron. Nez rectiligne. Teint mat. Forme du visage ovale. Le nom a été choisi afin d'éveiller le moins possible le soupçon : Giraud sonne très français. Il est commun, sans être galvaudé. Le prénom, en revanche, peut surprendre : Jeanine. De même que la photo noir et blanc qui l'accompagne :

Grand-Papa est revêtu d'une perruque ondulée, tombant sur les épaules, d'un collier de perles et de ce que l'on devine être une robe de soie. Dans cet accoutrement, il présente, en plus hommasse, une vague ressemblance avec Miss Marple. « Ça peut toujours resservir ! » répétait-il, avec un sourire finaud, lorsqu'on sortait ses faux papiers du tiroir. Les a-t-il seulement utilisés ? Je ne vois pas comment il aurait pu tromper qui que ce soit dans un déguisement aussi grotesque.

SALON

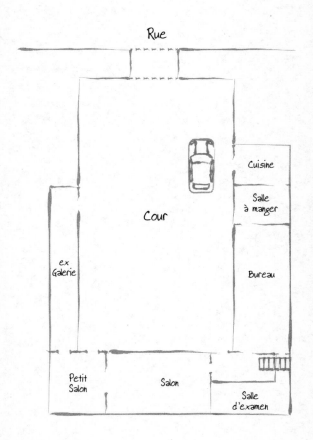

1

Ils sont deux. Le plus petit tend l'oreille face à la porte, tout en lançant des regards au-dessus de la marquise en verre. L'autre fait les cent pas dans la cour pavée. Au moment où ils s'apprêtent à aller chercher un serrurier, elle finit par leur ouvrir. « Des Français bien habillés, avec des figures très douces », écrira-t-elle, des années plus tard. Le premier prend soin de s'essuyer les pieds sur le paillasson usé et de se découvrir avant d'entrer. Le second garde son feutre gris à large bord sur la tête. Elle leur explique que son mari n'habite plus là. Elle ignore où il est parti. D'ailleurs, ils sont divorcés. Elle ordonne à son fils, Jean-Élie, d'aller chercher le livret de famille qui l'atteste. Les policiers demandent à fouiller la maison. Ils la suivent de leurs pas lourds qui résonnent sur le parquet à travers un long couloir. Le salon et le petit salon sont alors reliés avec l'extérieur par une galerie ménagée dans l'aile droite de l'immeuble qui sera, après guerre, rétrocédée aux voisins. Elle marche lentement, en s'appuyant aux meubles et au rebord des fenêtres. Les deux hommes en manteau noir qui traînent derrière elle font mine de s'impatienter. Leurs consignes sont strictes. La circulaire du 13 juillet 1942 leur enjoint de « procéder avec le plus de rapidité possible, sans paroles inutiles et sans commentaires ». Appartiennent-ils à la Section d'enquête et de contrôle ou sont-ils envoyés par le commissaire de la rue Perronet ? Ils constatent que la pièce qui, des semaines plus tôt, servait de salle d'attente a été transformée en resserre. Ils manquent de buter sur des bocaux alimentaires empilés entre deux fauteuils couverts de poussière. Habitués à traquer le marché noir, il est probable qu'ils jettent un œil suspicieux dans la grande bassine en métal adossée à la rotonde vitrée où des œufs blancs globuleux macèrent dans une eau saumâtre. Après un temps qui semble infini, ils ressortent bredouilles.

2

Les Noëls passent sans le père autour du sapin décoré, par dérision, avec son étoile jaune. Luc ne se souvient déjà plus très bien de cet homme qui l'accompagnait jusqu'aux Tuileries et le regardait jouer à travers les grilles d'un jardin où il n'avait pas le droit d'entrer. Sa mère lui promet qu'il va revenir les bras chargés de cadeaux, mais aucun personnage ne descend de la cheminée. Le silence de la maison n'est troublé que par le hurlement soudain des sirènes, les explosions lointaines, pareilles à des grondements de tonnerre, et, à heure fixe, le martèlement régulier des bottes sur l'asphalte. La guerre se résume à un fond sonore filtré par les vantaux du portail. Né avec elle, l'enfant guette ses moindres bruits. Il ne sort presque pas. Confiné dans une longue enfilade de pièces sombres et désertes, il garde le nez collé à la vitre en essayant de deviner ce qui peut bien se passer de l'autre côté de la cour. Il contemple pendant des heures cet espace clos et minéral. Il se laisse bercer par la rumeur de la rue et, d'une voix joyeuse, écorche la chanson de *Lili Marlène* entonnée par les soldats qui paradent. Parfois, il entraperçoit à travers le porche leurs jambes raides, leurs chiens tenus en laisse et les applaudit, comme au spectacle, sous l'air désapprobateur de son frère.

3

C'était un paysage dévasté, aux murs en papier découpés aux ciseaux, dessinant des embrasures de portes, des moitiés de fenêtres, comme si les petites maisons avaient été décapitées par une immense faux. Deux lignes de remparts percées de meurtrières et pourvues par endroits d'un chemin de ronde l'entouraient. De la pâte à bois blanchâtre, imitant une neige sale, recouvrait les ruelles parsemées de gravats. Des bouts de toits hérissés d'allumettes noircies pouvaient servir de tours de garde. Des rails de chemin de fer menaient à une citadelle à la Vauban perchée en haut d'une colline. Au milieu coulait une rivière bleutée qui, un peu comme la Seine à Paris, faisait une courbe et enserrait dans sa partie la plus anguleuse un minuscule îlot. Les défenseurs étaient généralement des nazis en polystyrène injecté, couleur gris souris, pas plus grands que des osselets. Les assaillants, de même taille, mais moulés dans du plastique vert, appartenaient à différentes armées alliées. Ces figurines réduites à l'échelle de 1/72e étaient vendues sous la marque Airfix par boîtes de quarante. Je conservais précieusement les emballages décorés de scènes de guerre. L'un d'eux montrait des marines débarquant sur une île du Pacifique, un autre des parachutistes, également américains, atterrissant dans un champ décharné, certains agenouillés, d'autres encore suspendus en l'air. Mon dessin préféré présentait des commandos britanniques, la tête couverte d'un bonnet de laine strié, sautant de leurs canoës pour partir à l'assaut d'une falaise crayeuse.

La ville bombardée occupait près d'un quart de la superficie du salon. Elle était bâtie sur des tableaux réalisés par mon oncle à l'adoles-cence. À la manière d'un Van Gogh repeignant sur ses toiles par souci d'économie, il utilisait des œuvres de jeunesse entreposées à la cave comme supports à nos batailles. Il s'agissait de six grandes planches de contreplaqué qui, avant de disparaître sous un amas de colle, de carton et de débris divers, évoquaient elles-mêmes des décors urbains généralement en flammes. À l'instar des cités antiques maintes fois rasées et reconstruites, nos décombres reposaient ainsi sur d'autres ruines. Christian détruisait ou plutôt masquait, maculait ses anciennes peintures, non pas à titre expérimental, tel un Duchamp explo-rant la quatrième dimension, celle du temps qui passe, mais par un rejet d'une période figurative et balbutiante de son art et aussi un goût du fragile, de l'éphémère, de la futilité de l'acti-vité humaine, dont témoignaient, à peu près à la même époque, ses essais de reconstitution de souvenirs d'enfance en pâte à modeler.

Nous respections des règles précises d'enga-gement et de déplacement. À chaque tour, les fantassins avançaient d'un mètre, les éléments motorisés de deux. Nous tirions avec des pièces de dix centimes ou de cinq francs, suivant les armes employées. Les combats opposaient des centaines d'hommes, des dizaines de chars et de canons, des avions de chasse, des bombardiers. Les maquettes sentaient l'essence et la colle forte. À force de subir des coups, elles étaient à moitié cassées. Nous y passions des après-midi entiers, le mercredi, le week-end, les jours de fête. Certaines de nos parties duraient plusieurs jours. Elles s'étendaient à l'ensemble de la pièce et débordaient parfois jusque dans le petit salon. Les tapis persans aux teintes fanées devenaient des mers ou des fleuves sillonnés par des cuirassés et des barges de débarquement, des Meccano de Sarkis et une barre de bois multicolore d'André Cadere – une des premières de la série, de section carrée, les rondes n'auraient pas fait l'affaire – servaient de ponts mobiles, des tissus en fibre de lin jetés sur des piles de livres formaient des montagnes infranchissables, les commodes Louis XV, le prie-Dieu, le canapé Directoire, le rebord en marbre de la cheminée, les pieds des tables constituaient des obstacles naturels, des cachettes où des forces, massées en grand nombre, attendaient patiemment l'adversaire.

Dans ce lieu à la solennité désuète, presque ridicule, avec ses meubles anciens et ses verroteries, nous avions recréé l'univers. Un microcosme, certes violent, mais parfaitement maîtrisé, dont nous étions les commandants en chef. Nos champs de bataille satisfaisaient à la fois nos désirs d'évasion et notre claustrophilie, nos penchants à la réclusion et au voyage. Généralement, je sortais vainqueur. Je pense que Christian, par gentillesse, s'arrangeait pour me laisser gagner. Peut-être souhaitait-il aussi la défaite de son propre camp ? Je choisissais systématiquement les Alliés et il se retrouvait avec les forces de l'Axe. En jouant aux petits soldats, il affirme avoir beaucoup appris sur son travail. Sur l'ironie du minuscule, sur la capacité des menus objets à s'ériger en monuments, sur le faux qui permet d'accéder à une vérité plus profonde, sur les liens entre l'enfance et la mort. Il aimait anéantir ses créations, comme ces villes composées de cartons et de sucres en morceaux que nous incendiions, une fois terminées. Livrés au feu, les petits pavés blancs fondaient et faisaient des bulles en dégageant une odeur de caramel brûlé. Ces maisons naïves, dérisoires lorsqu'elles étaient debout, avec leurs parties supérieures taillées en triangle et leurs fenêtres marquées d'un trait noir, revêtaient, en se consumant, un aspect dramatique qui nous procurait un plaisir un peu néronien. Jusqu'à la fin de ma puberté, Christian fut mon principal, sinon mon seul, compagnon de jeu avec Anne, ma tante à peine plus âgée que moi. Au milieu de la classe de troisième, je décidai de donner toute ma collection de modèles réduits à un garçon prénommé Roland, neveu d'une amie de mon père, et, quelques mois plus tard, je m'enrôlai moi-même comme petit soldat au sein du mouvement des Jeunesses communistes.

4

L'édifice, conçu à l'origine pour une seule et même famille nobiliaire, était mal adapté à un découpage en appartements remplissant plusieurs fonctions. Je devais abandonner mes troupes à chaque fois que la sonnerie du petit salon retentissait. Le dring métallique, puis le bruit sec de la serrure donnaient le signal de la fuite. Pendant un temps, la porte-fenêtre était actionnée à distance, au moyen d'un bouton électrique, par un homme en livrée blanche, sosie de Nestor, le domestique du château de Moulinsart, qui ne quittait jamais sa table demi-lune, au fond du vestibule, ni son attitude compassée. Au début des années soixante-dix, la clientèle devint de plus en plus rare et M. Roger – c'était son nom – disparut. Les patients me terrifiaient, comme s'ils étaient porteurs de la peste ou du choléra. Dès qu'ils entraient dans la maison, je refluais vers les étages. Je n'ai jamais eu de contact avec eux. Il ne me revient que leurs silhouettes longeant les vitres de la rotonde et leurs voix éteintes et résignées, à travers la paroi du bureau. Pendant les heures de visites, l'ensemble du bas était condamné. Afin de respecter le silence qui sied à une activité médicale, la zone interdite incluait la cuisine et la salle à manger qui étaient, de toute façon, inaccessibles, sinon par le jardin. Il fallait faire le moins de bruit possible et rester caché jusqu'au départ des derniers envahisseurs.

5

Comme il était de règle, le salon constituait un espace hybride, situé à la frontière de l'intime et du social, de l'intérieur et de l'extérieur, du labeur et de l'amusement, de la souffrance et de la liesse. C'était un local professionnel, une salle d'apparat, un lieu de représentation, de prestige, figé dans son décor du faubourg Saint-Germain dont la peinture défraîchie et les murs cloqués accentuaient le caractère factice. Sans cesse à quatre pattes, les yeux fixés sur mon monde miniature, j'ai oublié ce qu'il y avait précisément au-dessus de ma tête. Je n'ai qu'une image floue de tableaux, de chandeliers muraux, de trumeaux aux cadres dorés et de papier peint à festons. Je garde avant tout en mémoire la moquette bleue décolorée qui, jetée sur le plancher défoncé, entretenait l'illusion d'une surface plane. C'était un théâtre et on y jouait un vaudeville. Une farce dont le principal ressort consiste à faire défiler sur la scène, dans un tourbillon de plus en plus effréné, des personnages – mari, amant, femme adultère – qui ne doivent en aucun cas se croiser, sous peine de scandale. La pièce ne résonnait pas de cris ni de claquements de porte. Mais elle accueillait des publics dissemblables, voire opposés, dont les rencontres inévitables produisaient un effet étrange, presque burlesque. Seuls nos soldats y maintenaient une présence continue. Je me suis longtemps demandé si nos villes détruites étalées au milieu de toute cette pompe fatiguée ne dérangeaient pas des visiteurs venus savoir s'ils étaient malades ou bien portants.

6

Les invitations n'émanaient pas du docteur, mais de son épouse. Il fuyait le commerce des hommes, elle le cultivait. Pour lui, disait-elle, dans son intérêt, pour son plaisir, alors qu'elle seule rayonnait, parmi ses convives, ses fidèles qu'elle faisait passer pour ceux de son mari. Elle était la reine ou plutôt la régente de soirées qu'elle organisait en son nom et en sa présence rétive. Elle recevait ses semblables, sortis eux aussi hébétés de la nuit noire, qui par respect se tournaient vers lui et ne conversaient qu'avec elle. Il les écoutait, arborant son éternel sourire aux lèvres qui paraissait teinté d'ironie. Même s'il aurait préféré être seul, il les tenait en haute estime. Ils auraient été ses amis s'il en avait eu. Il y avait parmi eux certains de ses internes, des médecins, des psychologues. Plusieurs collaboraient, comme lui, à l'Institut national d'étude du travail et de l'orientation professionnelle, l'Inetop, un laboratoire social qui fut longtemps un bastion communiste. Mais ce n'était pas leur carrière, souvent nouvelle, liée comme le reste aux circonstances, qui les rassemblait. Tous avaient changé de vie, de nom, de métier, parfois de famille. Ils n'aspiraient qu'à la sécurité. Ils n'étaient sûrs de rien. Avec ce qu'il implique de provisoire, un hôtel, même particulier, convenait à ces gens en transit, prêts à déguerpir sans savoir où, comme s'ils avaient une valise à portée de la main. Ils étaient finalement à leur place dans cette salle d'attente.

Eugène Bencz avait une petite centrale d'achat. Il achetait des livres à bas prix à des éditeurs pour les revendre à des bibliothèques et des collectivités. Sa boutique se trouvait à l'angle de la rue Guynemer et de la rue de Fleurus, face à l'entrée du Luxembourg. Ma grand-mère, qui, à part la Fiat, ne disposait pas de lieu à elle où s'isoler, allait parfois y travailler le matin. Il se sentait humilié par son état de commerçant et se considérait comme un intellectuel. Avant guerre, il avait soutenu une thèse de philosophie à l'université de Toulouse et publié aux éditions de la Renaissance une anthologie de la poésie hongroise du XIXᵉ siècle. Il invitait de temps en temps ma famille au Czardas, un restaurant de la rue La Fayette.

Adolphe Nuchi vendait sur les marchés des

sacs à main en plastique qu'il fabriquait dans son usine. Il avait été l'un des premiers à importer des machines à coudre du similicuir. Un drôle de patron qui, avant chaque élection, encourageait ses ouvriers à voter communiste. Il faisait aussi de la sculpture et dirigeait une revue de poésie, *Osmose*, avec une figure de Saint-Germain-des-Prés, Bernard Citroën, l'homme à la cape verte, compagnon de voyage de mes grands-parents. Passionné de littérature, Adolphe écrivait des textes en prose et fit découvrir à Mère-Grand des auteurs comme Henry Miller ou Georges Bataille. Elle l'avait connu par le biais de son épouse, Alice, ou plutôt via la mère de celle-ci chez qui elle achetait ses chaussures. Une vieille dame parlant à peine le français. Elle possédait une échoppe au Village suisse, un quartier créé à l'occasion de l'Exposition universelle, entre les avenues de La Motte-Picquet et de Suffren, qui était devenu un bazar pour chiffonniers après la destruction en 1937 de la Grande Roue.

Zina Morhange n'exerçait plus la médecine depuis Auschwitz. Elle tenait un magasin de vêtements à Marseille dont elle avait hérité après le suicide de son second mari, Joe Saltiel. Dès qu'elle le pouvait, elle délaissait cette activité qui lui faisait horreur et revenait à Paris. Son beau-frère, le poète Pierre Morhange, faisait lui aussi partie des habitués. Il effectuait là l'une de ses rares sorties. Depuis la Shoah et la révélation de l'antisémitisme de Staline par l'affaire des blouses blanches, il ne quittait que très rarement son appartement de la rue Saint-Augustin. Surréaliste, puis communiste, il avait rompu avec ces deux familles successives. À force d'être exclu, il vivait reclus. Il venait avec Motia, sa femme, une peintre postimpressionniste native d'Odessa, et Joseph Constantinovsky, le frère de celle-ci, sculpteur animalier sous le pseudonyme de Joseph Constant et romancier à la Isaac Babel sous celui de Michel Matveev. Une triple identité destinée sans doute à brouiller les pistes.

Elle les conviait à de « petits dîners de rien », selon la formule de la duchesse de Guermantes, sauf que, dans son cas, le rien confinait au néant. Elle leur servait des pains ronds fourrés au pâté de foie, en nombre toujours insuffisant, et du mauvais whisky transvasé dans une bouteille vide de marque réputée, vraisemblablement un cadeau. Elle associait l'absence de nourriture à un esprit bohème. C'était aussi une vengeance contre ses amis, membres ou sympathisants du Parti, qui la traitaient de bourgeoise et se moquaient de son salon Grand Siècle. Comme ce physicien nucléaire né à Berlin et ayant grandi à Mexico, dont la mère présidait alors l'Union des écrivains d'un pays de l'Est. Les portions déjà congrues continuaient à diminuer d'une année sur l'autre.

Face à cette dérive anorexique, certains finirent par apporter à manger. Pierre Estenne, le chirurgien faussaire que mes grands-parents continuaient d'appeler par son nom d'avant guerre, venait avec de la choucroute et de la leberwurst de son Alsace natale. Alfred Szabados investissait la cuisine et préparait pendant des heures, d'un air grave, comme s'il s'adonnait à quelque culte secret, un goulasch particulièrement roboratif.

Ils ne parlaient jamais de ce qui, au fond, les reliait. Silence sur l'avant rempli de fantômes. Effacement du pendant. Dire leur part de l'indicible ? Évoquer l'asile d'aliénés qui leur avait servi de refuge ? L'épouse et les deux enfants gazés ? L'arrestation dans l'école du village ? Les expériences des médecins SS dans l'infirmerie de Birkenau ? Le père fusillé contre un mur ? Comment auraient-ils pu ? Pas grand-chose, non plus, sur l'après. Sinon des récits d'événements violents. L'amant mathématicien asphyxié avec sa mère, à cause d'un chauffage au charbon défectueux. L'attaché commercial emporté par une bronchite à son retour des camps. L'ancien déporté devenu dépressif, après une mauvaise chute dans une piscine, qui finit par mettre fin à ses jours. Des morts présentées comme accidentelles et qui, pour cette raison, devenaient racontables, alors qu'elles ne devaient évidemment rien au hasard. Pas plus que leurs vies chaotiques, doubles ou triples, suites d'adultères, de divorces et d'enfants cachés. Le passé ne resurgissait que sur un mode anecdotique et futile ou alors par des voies détournées.

Fred et Fritzi Brauner ne cessaient de se quereller sur le bon usage de l'allemand. Il avait grandi à Vienne. Elle y était née. Mi-pédopsychiatres, mi-éducateurs, ils arrivaient avec un gros appareil de projection et nous montraient les films qu'ils réalisaient sur leurs groupes d'autistes et de trisomiques 21. Les travaux qu'ils effectuaient dans leur centre de Saint-Mandé s'inscrivaient dans la droite ligne de leur action auprès des 426 enfants survivants de Buchenwald qu'ils avaient recueillis dans un ancien préventorium, à Écouis, dans l'Eure, à la Libération, et de ceux qu'ils avaient secourus huit ans plus tôt en Espagne, lors de leur engagement dans les Brigades internationales. Sur cette partie antérieure de leur vie, en revanche, ils ne disaient rien. Fred jouait souvent avec Anne, ma sœur Ariane ou moi, comme si nous étions des souris de son laboratoire. Il s'amusait à nous exciter, à nous mettre hors de nous et, dès que nous commencions à sauter dans tous les sens et à brailler, il s'écriait, avec sa voix chantante, en s'adressant aux adultes : « Il faudrait peut-être essayer de les calmer ! »

Elle les accueillait debout, appuyée sur la table de jeu en marqueterie, bien droite, de façon à leur faire croire qu'elle était valide. Une fois les salutations faites, elle prenait place au milieu d'eux et ne quittait plus son fauteuil de la soirée, ses jambes inertes pareilles à celles d'un pantin articulé, posées ou plutôt rangées côte à côte sur le rebord en velours. Imperturbable, elle souriait en plissant les yeux sous l'effet de la fumée d'une Kool Menthol, une cigarette au goût sucré qu'elle tenait toujours du bout des doigts comme si son filtre était brûlant. La position centrale qu'elle occupait dans le salon était renforcée par son immobilité. Elle était le point fixe autour duquel tournait ce monde coloré et foutraque. Tous venaient à elle. Lorsqu'elle était dressée au-dessus du jacquet serti d'ivoire, ils se courbaient en deux pour serrer sa main osseuse qu'elle levait négligemment. Une fois assise, ils rapprochaient leurs sièges du sien, s'efforçaient d'attirer son attention, lui proposaient un de ses sandwichs minuscules qu'elle déclinait en faisant la moue. Elle ne mangeait rien et se contentait de siroter une liqueur marron ou jaune, genre Baileys ou Advocaat. Elle entretenait des liens étroits avec chacun d'eux. Elle avait leur confiance. Elle connaissait leurs secrets. Et eux les siens.

7

Son frère touchait presque le lustre de cristal avec son grand corps efflanqué, sa tête acérée d'oiseau de proie et surtout ses gestes amples de ténor du barreau. Il était vêtu d'une chemise blanche et d'un complet sombre, élimé, sans doute le seul convenable, peut-être le même que celui qu'il portait lors de son entrevue, un quart de siècle plus tôt, avec le président René Coty, au pic de sa brève carrière politique. Il affectait l'air affairé de quelqu'un qui enchaîne des rendez-vous importants, comme s'il était toujours à la tête de l'assemblée territoriale des îles Australes. Bébé, son épouse, l'accompagnait. Il surnommait ainsi toutes les femmes avec qui il avait vécu, souvent simultanément, par une forme de nonchalance et afin d'éviter les quiproquos. Elle était beaucoup plus jeune que lui et effectuait sa première sortie hors de l'archipel de Polynésie. Petite, aux longs cheveux noirs, très lisses, un corps trapu, sans âge, elle avait du mal à s'exprimer en français malgré les nombreuses années passées auprès de lui. Presque muette, elle l'écoutait, hochait le menton, levait les yeux pour marquer son approbation. J'ignore son vrai nom.

Il racontait à sa sœur des histoires compliquées de cabales, d'injustices subies des années plus tôt, là-bas, à Papeete, la capitale, ou à Tubuaï, son île perdue, la dernière avant les glaces du Sud. Il tenait contre lui des dossiers aux coins écornés qui devaient prouver ses dires en plusieurs exemplaires. « Noël Ilari, ex-capitaine d'artillerie de réserve. Combattant volontaire de Verdun, de Pologne, de la Loire, deux fois blessé, six fois cité. Ancien chef du service des Sports et de la Jeunesse au Tonkin... » Sa signature en bas des lettres qu'il tapait sur sa machine à écrire et adressait à toutes sortes d'autorités courait sur une dizaine de lignes. Dans ses missives, il dénonçait les essais nucléaires, les méfaits d'élus locaux, l'action forcément occulte de la franc-maçonnerie, la « *maffia* » qu'il écrivait avec deux f pour mieux souligner son caractère néfaste. Avec la distance, le temps s'était contracté, comme par un effet de perspective. Il sautait les époques sans se soucier de la chronologie, relatait des événements remontant à un demi-siècle avec le même enthousiasme, la même fraîcheur que s'ils dataient de la veille. Je ne sais plus comment il en était venu à évoquer son arrivée à Vichy au cours de l'été 1940, ses visites à l'hôtel du Parc, ses dîners mondains au Chantecler et sa contribution au « redressement national ». Il en parlait sans les prudences, les non-dits des hommes de sa génération marqués par le mythe gaullien d'une France résistante, comme si, du fait de son éloignement, il avait hiberné durant toutes ces années, à l'instar de ces soldats japonais oubliés qui, ignorant la capitulation de leur pays, continuaient à se terrer dans la jungle avec leurs pétoires.

Il ne commit aucun crime passible d'une cour martiale. Au sein du premier gouvernement Laval, il fut un conseiller de Jean Borotra, l'ex-joueur de tennis préposé aux Sports, une activité alors particulièrement prisée qui exaltait la force et la discipline. Son rôle se borna à inaugurer des stades et à rédiger des revues de presse. Un poste

obtenu grâce à une « excellente amie » qui, lais-
sait-il entendre, accordait au ministre une amitié
tout aussi généreuse. Il avait incontestablement
le profil du job : ultranationaliste, catholique
élevé chez les bons pères, ancien des Croix-
de-Feu et des Jeunesses patriotes, il admirait
les hommes forts. Le Maréchal, et plus encore
l'Empereur dont il se proclamait le descendant,
au nom d'un vague cousinage prêté à son aïeule,
Camilla Ilari, avec Napoléon Bonaparte (elle ne
fut en réalité que sa nourrice). Pour l'encoura-
ger à faire valoir ses droits, il inonda un temps
son héritier, le prince Louis, de fausses lettres
de soutien, censées émaner des profondeurs
du peuple et qu'il signait du nom de bougnats,
de modistes ou de livreurs des Halles. Au-delà
d'une convergence idéologique, son empressement auprès de Borotra était dicté par le désir
de regagner au plus vite son rocher du Pacifique
où il avait laissé indigène et enfant. Il voulait
retourner chez lui, de préférence pourvu d'une
autorité, afin de revoir son fils et, avant toute
autre chose, régler ses comptes avec le gen-
darme, le Chinois, le gouverneur, le vénérable
de la loge de Papeete et ses mille autres ennemis
réels ou imaginaires.

En 1934, il avait tout quitté, son emploi
d'assureur-conseil, son bel appartement près
de l'Étoile, ses « petites sauteries » dans le quartier de Passy, son mariage béni par l'évêque,
son épouse distinguée, pour embarquer à bord

d'une goélette de quatre-vingts tonneaux, un bateau pourri qui avait failli manquer Tubuaï et filer vers le pôle. Les raisons de son départ précipité à l'autre bout du monde restent mystérieuses. Une frasque de trop ? Une crise existentielle ? Des fantasmes à la Gauguin mêlant quête du paradis et attirance pour les très jeunes femmes ? En Polynésie, il avait découvert des vahinés et des esclaves. Par un mélange de paranoïa, de donquichottisme et de clairvoyance, il n'avait cessé depuis son arrivée dans l'archipel de se heurter à une administration locale, associée dans son esprit à l'éternelle « *maffia* » qui le poursuivait par-delà les mers, et à un système colonial fondé sur le travail forcé et des prêts usuraires. D'où ses multiples déboires commerciaux – il tenta en vain de vendre du café – et bientôt politiques. Ses conflits sans fin, ses duels au revolver d'ordonnance, ses procès intentés à la moindre offense, ses harangues interminables sous les cocotiers, ses parades à cheval en bottes Chantilly, spencer en lin et gants blancs faisaient encore rire toute l'Océanie lorsqu'il revint à Tahiti en octobre 1940, avec ses rêves de revanche et son ordre de mission tamponné d'une francisque. Il arrivait trop tard. Les gaullistes venaient de prendre le pouvoir. Ils l'empêchèrent de débarquer. En homme habitué à marcher le front haut face à la mitraille, il voulut tenter un coup de main. Ses supérieurs lui ordonnèrent de rejoindre Saigon pour y diriger les chantiers de jeunesse. Il ne regagna son lagon qu'à la fin de la guerre.

Mère-Grand lui rendit visite au milieu des années soixante-dix et en tira l'un de ses meilleurs romans, *L'Île de la Sainte-Enfance*, dont la langueur et l'étouffement rappellent Marguerite Duras. Son frère vivait alors barricadé dans sa propriété baptisée pompeusement, en souvenir de Napoléon, « l'Ermitage de Sainte-Hélène », derrière un grand panneau en bois sur lequel il avait tracé le mot « Tabu ». Interdit. Depuis sa raclée électorale, il ne voulait plus voir personne et maugréait contre ses anciens administrés : « Ils ont profité de moi. Quoi qu'il arrive, je ne serai jamais des leurs. » Il avait lutté pour leur indépendance, fait de la prison, tout sacrifié pour eux, lui répétait-il avec amertume. Il se considérait à nouveau comme prisonnier dans ce bout du monde qu'il savait enfin ne pas être le sien. Il subsistait tant bien que mal avec une maigre pension d'instituteur, entouré de quelques meubles de famille qu'elle reconnaissait, malgré leur réapparition dans un tout autre contexte. Elle disait qu'il avait recréé sous les tropiques l'appartement rennais de leur enfance, tout en apparence et en mensonge, à la fois bourgeois et misérable. En le voyant manger dans la cuisine, faute de personnel, ou se cacher, de peur d'être vu par les voisins, elle retrouvait son père, leur père, cet autre vaincu, à la santé altérée, qui restait des journées entières enfoncé dans son fauteuil vert. Même jaquette de laine râpée, mêmes efforts dérisoires pour masquer son dénuement. La seule chose qu'il soignait était sa postérité. Depuis la route qui longe la lagune, les rares touristes photographiaient, en l'absence de tout autre édicule notable, son monument, le seul de l'île. Un mausolée qu'il avait fait ériger au milieu de ses terres, à l'issue d'une ultime bataille juridique avec l'administration. Le mémorial de Sainte-Hélène. Des fragments de coquillages noirs, collés bout à bout, formaient son nom corse. Il ne manquait qu'une date. L'épitaphe était déjà gravée : « Mort fidèle à son Dieu, à sa famille, à ses idées, à son ingrate patrie, après de longues années de souffrances morales dans l'isolement et la solitude de ce lieu. » Ce fut sa dernière lettre de protestation.

8

Elle se trouvait sur une faille, une zone sismique, quelque chose qui allait s'effondrer, à l'intersection de deux mondes divergents, celui qu'elle avait choisi et celui qui l'avait rejetée. Ses amis étaient tous des survivants. Juifs aux identités floues, communistes bientôt à la dérive, homosexuels retranchés dans leur sanctuaire de Saint-Germain-des-Prés. Des parias, malgré leur mode de vie bourgeois. Des êtres à la fois brillants et brisés, des naufragés sans repères, délivrés de toute attache, animés par un sentiment aigu du provisoire. Leur sens du relatif, leur conscience de la précarité de l'ordre social les rendaient aussi plus libres, plus ouverts, plus indulgents, malgré leurs vies pleines de morts.

Sa famille était prise dans un inextricable écheveau de conventions, d'usages à respecter, de rang à tenir, de faux-semblants. La mère à particule qui, dans la rue, réservait ses salutations aux gens bien et écartait la tête devant les autres ; le père, avocat sans le sou, décoré par le Vatican de l'ordre de Saint-Grégoire-le-Grand et morphinomane qui, à chaque période de manque, furieux et désespéré, envoyait son épouse, elle si soucieuse du qu'en-dira-t-on, faire la tournée de Rennes pour implorer des apothicaires de plus en plus récalcitrants ; le frère descendant des marquis d'Ilari, de Napoléon Ier, des rois de Tubuaï et de je ne sais quoi encore, dont le destin n'a jamais été à la mesure de ses rêves de grandeur ; une bonne, parce qu'il en faut une, négociée à bas prix auprès d'un orphelinat, qui, mécontente de ses gages, ne restait jamais longtemps ; la sœur au carmel, l'autre devenue folle après être tombée amoureuse d'un prêtre et la troisième, iconique cette fois, sa « petite sainte » Thérèse de Lisieux, presque une voisine, donnée en modèle à la sauvageonne qu'elle était. Ils appartenaient – on l'a compris – à un tout autre milieu. De droite, cocardier, traditionaliste, antirépublicain, profondément marqué par la doctrine sociale de l'Église et imprégné d'un vieil antijudaïsme chrétien. Certains s'étaient compromis avec l'occupant. Son entourage s'accrochait au présent. Ses parents étaient tournés vers le passé.

9

Elle était la septième. Madeleine, Suzanne, Marie-Thérèse, Anne, Noël, Adrienne. Une naissance par année. Et enfin, elle, Marie-Élise, la petite dernière. L'enfant de trop voulu par le confesseur qui, après chaque grossesse, ordonnait à la mère épuisée de remplir à nouveau ses obligations conjugales. Un insupportable fardeau. Une fille de plus. Une autre dot ou un autre couvent à trouver. Surtout, une énième bouche à nourrir dans une famille réduite, selon une légende digne d'une histoire sainte, à manger des rognures d'hosties, des fragments de froment évasés, au goût de carton, comme des pièces de puzzle, achetés pour rien chez le boulanger. Pas de place pour elle dans cette famille qui, le 1er janvier, ne mettait pas un pied dehors pour éviter d'avoir à verser des étrennes au concierge.

À son baptême, son père, Adrien, pleura. Savait-il déjà qu'il ne célébrait pas un rite de passage, mais de passation ? Il lui avait trouvé bien plus qu'une simple marraine, un tuteur, une amie fortunée prête à l'élever et qui, à sa mort, en ferait sa légataire. Il attendit qu'elle ait l'âge d'aller à l'école et, à défaut de comprendre, de percevoir ce qui lui arrivait pour la confier à sa bienfaitrice. Elle fut arrachée aux siens, à la chambre qu'elle partageait avec ses sœurs, à sa ville aux murs de granit, à tout ce qui lui était familier, même à son nom donné devant l'autel. Sa mère adoptive la rebaptisa, comme on aurait fait avec un animal domestique. Marie-Élise devint Myriam. La mode en Bretagne était aux prénoms bibliques. Dorénavant, elle était sa fille. Sa fille de compagnie. Elle se retrouvait à son service. On l'avait vendue sur les fonts baptismaux à une dame seule qui menait une vie de retraitée et lui prodiguait des sermons saupoudrés de baisers racornis, à peine effleurés.

Dans sa logique d'enfant, elle devait avoir commis une faute. Trop effacée pour s'imaginer méchante, elle crut qu'elle avait été repoussée à cause de son visage ingrat. Ses parents lui disaient qu'elle ressemblait à grand-mère Flora, la lointaine *mammone* corse, avec sa tignasse noire et ses yeux immenses, un physique étrange, pas d'ici, pas de ce grand Ouest humide. Elle revenait les voir deux semaines par an. Un bref droit de visite prévu par contrat. Elle ne connut qu'un père assis, passant ses journées, casquette sur la tête, à tisonner les boulets rouges, comme s'il avait toujours froid, dans son appartement crasseux donnant sur la Vilaine, aux rideaux et aux nappes rapiécés mais où il ne manquait pas une moulure. Il n'exerçait quasiment plus, à part un ou deux clients envoyés par un avoué. « Ma petite Lise, tu es arrivée au mauvais moment, lui répétaient ses sœurs. Il n'est plus que l'ombre de lui-même. » Elles lui racontaient sa période de gloire, récit qui, à ses oreilles, sonnait comme un conte de fées. Plus jeune bâtonnier de France, défenseur de l'Église, récompensé par le pape après ses procès contre les inventaires. Mais déjà pauvre, préférant aux gros honoraires les grandes causes. Même perdues. Traits communs avec son fils Noël, il y avait chez lui un goût des combats solitaires et désespérés, une propension à se sentir incompris, mal-aimé, un attrait du tragique, un côté grandiloquent, traits qui tenaient peut-être à une saga familiale parsemée, comme il se doit dans cette partie de la France, tout en bas de la carte, d'actes héroïques, de vendettas et de crimes d'honneur.

Les piqûres qu'il réclamait à grands cris étaient-elles la cause ou la conséquence de son déclin ? Candidat aux législatives dans la première circonscription de Saint-Nazaire, il ne se remit jamais de sa défaite face à un proche d'Aristide Briand. Une déception d'autant plus grande que les résultats, au soir du premier tour, le donnaient vainqueur. Déclaré en ballottage durant la nuit, il hurla à la fraude et fut battu une semaine plus tard. Son échec, il le devait aussi à un positionnement bancal sur l'échiquier politique de l'époque. « Social parce que catholique », proclamaient ses tracts. Trop social pour la droite. Trop clérical pour la gauche. Il perdit sur les deux tableaux. Après, tout bascula. Il commença à se plaindre de sciatique. Des crises aiguës qui nécessitèrent le recours aux opiacés à des doses de plus en plus élevées. Son addiction qu'une littérature à succès assimilait à la débauche finit certainement par se savoir. Toute la bonne société rennaise devait jaser sur cet homme détruit qui ne sortait presque plus. À chaque visite, sa fille le voyait souffrir davantage, trembler de colère, puis supplier que l'on mette fin à son calvaire. Elle guettait dans l'escalier les pas de sa mère courue chercher des ampoules et qui, bien souvent, revenait les mains vides, rouge de honte, après avoir subi les réprimandes du pharmacien. Lorsqu'elle réussissait à convaincre ce dernier, l'enfant assistait, terrifiée, au rituel. L'étui jamais nettoyé, la seringue, une vieille Pravaz en argent, usée, l'aiguille immense, effrayante, le bras criblé de tatouages mystérieux, le visage en sueur qui, d'un coup, se détend et, enfin, la porte du bureau qui se referme, le « Chut ! Il dort », murmuré par la sœur aînée, le doigt sur les lèvres.

10

De son père, elle conservait une horloge noire en marbre, posée bien en évidence sur la cheminée du salon, qu'elle comparait à une pierre funéraire, à une stèle en mémoire de ses séjours chronométrés auprès de lui ou plutôt à son chevet. À mon époque, l'appareil ne marchait plus. Personne n'avait songé à le réparer ou simplement le remonter, comme s'il témoignait d'un refus du temps qui passe, attitude assez répandue Rue-de-Grenelle, ou alors d'une vie mise en sommeil. Quand l'objet fut dérobé, en dépit de son mécanisme défaillant, vers la fin des années soixante-dix, ma grand-mère ne manifesta aucune peine particulière. Elle s'intéressait peu aux choses matérielles et entretenait des rapports compliqués avec les Ilari. Leur incompréhension mutuelle résultait d'un quiproquo. Elle leur en voulait. Ils lui avaient tant manqué. Ils l'enviaient. Petite, pour ses robes. Adulte, pour tout ce dont ils avaient été frustrés : argent, liberté, indépendance. Elle leur reprochait sa solitude. Ils l'avaient abandonnée, livrée à autrui par souci des convenances. Ils ne comprenaient pas sa colère. Ils estimaient avoir plus souffert qu'elle. Les préjugés propres à leur classe, leurs hypocrisies parées de vertus la révoltaient. Elle dénonçait d'autant plus facilement l'ordre familial qu'ils représentaient qu'elle en avait été rejetée. Elle était une rebelle. Ils voyaient en elle une héritière.

11

À mesure qu'elle vieillissait, elle allait de moins en moins sur ses terres. Elle partait le matin et essayait de revenir le soir, malgré les cinq à six heures de route. Des nationales, des départementales interminables, bordées d'arbres et encombrées de camions. Généralement, il pleuvait. On était bercé par le battement régulier des essuie-glaces. Vers la fin, on traversait des villages désolés, aux toits d'ardoises ruisselant d'eau. Jean-Élie tenait le volant. Assise à ses côtés, elle dormait et ne se réveillait qu'à la vue du clocher gris de Désertines. Elle abhorrait cette Mayenne humide, triste, froide et boueuse, où elle avait passé une partie de sa jeunesse. Tout était bon pour ne pas coucher au « château », comme l'appelaient les villageois en insistant sur le ô de la dernière syllabe, une vaste demeure couverte de lierre, intouchée depuis la mort de sa marraine, dépourvue de chauffage et de sanitaires, qui sentait le bois mouillé et la tapisserie moisie. Deux grands sapins noirs, plantés de part et d'autre, plongeaient la maison dans une pénombre perpétuelle. Un cimetière s'étendait au bout du jardin. Elle devait gravir un perron en pierre. À peine arrivée, elle se métamorphosait en châtelaine de l'ancien temps. Elle s'installait sans quitter son manteau dans la grande salle, au rez-de-chaussée, sur l'une des chaises recouvertes de velours rouge. Un pot de cuivre, posé sur la grande table, contenait des dahlias fraîchement coupés. Un repas refroidissait à la cuisine, toujours le même : une soupe au lait et à l'oignon, suivie d'un rôti de porc aux pommes de terre. Le déjeuner achevé, elle convoquait ses gens avec sa pelisse sur le dos. Fermiers, gardiens, notaires défilaient à la queue leu leu dans la pièce glaciale, malgré le feu dans la cheminée. Ils tenaient leurs casquettes entre les mains et venaient avec leurs comptes et leurs doléances. Pressée de rentrer à Paris, elle les écoutait avec une impatience à peine dissimulée.

12

Une fois par mois, elle accueillait les réunions de cellule dans son salon Louis dix-et-quelques. Les destinataires de *L'Humanité dimanche* étaient tous là. La soirée relevait davantage de la cérémonie mondaine que d'un soviet préparant la prise du palais d'Hiver. Le poète évoquait ses problèmes de santé et sa chère muse disparue. Le banquier de l'URSS ne discutait jamais d'argent et encore moins des voies impénétrables de la finance internationale. « On a perdu une bataille, mais on n'a pas perdu la guerre », répétait l'éditrice après chaque défaite. Une militante parlait de la Russie comme d'une de ses vieilles amies. « Elle ne sait pas. Elle n'est pas informée, insistait-elle. On ne lui dit pas ce qui se passe. » Il était surtout question de stand à tenir, de muguet, de timbres ou de vignettes à vendre, de journaux à distribuer, des corvées dont chacun essayait de se débarrasser, tout en restant très courtois et en manifestant un enthousiasme de façade. Que faisait-elle parmi eux ? En tout, elle présentait un double visage. À la fois propriétaire terrienne et communiste encartée, exclue et élue, adoptée et dotée, Mère-Grand et Grand Méchant Loup, handicapée et globe-trotteuse, impotente et omnipotente.

ESCALIER

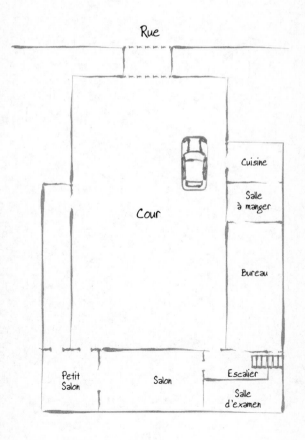

Rue

Cuisine

Salle
à manger

Cour

Bureau

Petit
Salon

Salon

Escalier

Salle
d'examen

1

Elle louvoyait entre les obstacles, selon une chorégraphie immuable. Toujours flanquée d'Anne et de Jean-Élie, prise dans l'étau de leurs bras, dans la tenaille de leurs corps. Le caractère répétitif de ses gestes, leur lenteur, la gravité avec laquelle mon oncle et ma tante l'aidaient à avancer donnaient à chacun de ses déplacements un tour solennel semblable à celui d'une procession. Malgré sa démarche claudicante, elle était comme une reine, paradant à heure fixe hors de ses appartements, en compagnie de sa cour. Son irruption était précédée par des grincements de portes, des bruits de meubles que l'on déplace, un frou-frou de vêtements et le claquement irrégulier de ses talons sur le parquet. Elle devait déployer une incroyable énergie pour passer d'un étage à l'autre. Elle tâtonnait le long de sa cage d'escalier, agrippait avec ses serres d'oiseau la rampe de métal qui épousait l'arrondi du mur, suppléait par la fermeté de ses bras, de sa poigne, à l'immobilité forcée de ses autres membres, haussait le bassin pour soulever une patte, la posait sur la marche, s'appuyait sur elle, comme si c'était un pilon de bois, faisait pivoter sa seconde jambe, la lançait en avant, les traits contractés, en s'accrochant de toutes ses forces à ses enfants, et commençait à monter lentement, avec cette craintive majesté des infirmes.

Deux à quatre fois par jour, parfois davantage, elle livrait le même combat. Trois mètres de dénivelé, deux plateformes dépourvues de prises naturelles à franchir et, au tournant, des marches dangereuses, effilées comme des lames, à négocier. Au bord du gouffre, elle prenait l'air concentré d'un champion avant une compétition. Elle penchait la tête pour évaluer les distances, tirait la langue, gonflait ses muscles, du moins ceux qui avaient été épargnés par la polio, des muscles inconnus des gens valides nichés dans des plis, aux jointures de ses membres. Tout son être amputé était tendu vers un point invisible, au loin, devant elle. Elle devenait soudain agressive, comme si elle était partie en guerre, poussait une sorte d'ahan, un grognement de colère. Elle luttait contre cette partie d'elle-même qu'elle ne maîtrisait pas et aussi contre tout ce qui l'entourait : rainures, languettes, planches, barres, abîmes, creux, poignets, coudes. Une fois en mouvement, elle classait objets et sujets en deux camps irréductibles : les alliés sur lesquels elle pouvait s'appuyer et les ennemis, en gros, tout ce qui l'entravait ou lui faisait défaut, un ensemble de pleins et de vides. Dans cet espace hélicoïdal, j'appartenais à la seconde catégorie. Durant sa descente ou son ascension, je devais disparaître de sa vue. J'étais trop petit pour l'aider. Je risquais de l'encombrer ou de la bousculer, par-dessus tout, d'être témoin d'une mauvaise chute, d'un trébuchement, d'une contorsion humiliante. En un instant, elle pouvait se retrouver par terre, réduite à un tas de chiffons. Je n'avais même pas le droit d'être là. Lorsque je m'attardais sur le palier, elle disait à ses écuyers, suffisamment fort pour que je l'entende : « Je veux qu'il parte ! »

2

Sa marraine la présenta aux dames de la ville, bien astiquée, enrubannée comme un œuf de Pâques, dans une des nouvelles robes qu'elle venait de lui acheter. Elle expliqua, autour d'un thé de cinq heures, qu'elle l'avait sélectionnée avec soin, après avoir pris tous les renseignements nécessaires auprès de personnes avisées qui connaissaient la famille et ses tares éventuelles. « On a tant de surprises pénibles avec ces hérédités inconnues », leur dit-elle. Ses invitées la complimentèrent pour son choix, tout en grignotant de petits gâteaux. Elles s'extasièrent sur la chevelure épaisse de la fillette, sur ses grands yeux tristes et eurent la délicatesse de ne pas évoquer sa taille presque naine. Marie Nélet était fière de sa dernière acquisition qu'elle jaugeait avec l'œil d'un dompteur. Elle devait réfléchir aux tours qu'elle allait lui apprendre. Elle l'appelait sa « petite négresse » à cause de sa crinière et prenait son effacement pour une page vierge sur laquelle elle pourrait imprimer sa marque.

Elle collectionnait les enfants, comme certains des trophées. Dans sa jeunesse, elle avait été attirée par la vie monastique. Mariée à un juge, elle aurait voulu être mère. Veuve sans descendance, peut-être stérile, elle était devenue éducatrice. À Fougères, elle dirigeait une maison charitable installée dans l'ancienne filature de son père. Une « grande cage ouverte », comme elle disait, où elle retenait ses pauvresses afin de les soustraire – je la cite à nouveau – aux « hideurs de la rue ». Elle les dénichait parmi un prolétariat d'origine rurale, majoritairement féminin, employé dans les nombreuses fabriques de chaussures de la ville. Son enseignement dispensé le soir ou pendant les vacances se résumait au catéchisme et à la couture. Elle les préparait moins à accomplir qu'à accepter le seul destin qui s'offrait à elles, celui de communiantes et de bottières. Prières, chapelets, nuages d'encens et aiguilles constituaient ses principaux outils pédagogiques. Elle était en mission. Elle répondait à l'appel de son pape qui venait de découvrir la question sociale. Elle luttait tout autant contre la misère ouvrière et ceux qui, à ses yeux, l'exploitaient ; en fait, ses compétiteurs directs qu'elle appelait les « fraudeurs d'idéal », des « agitateurs », des « étrangers » qui excitaient les foules et détournaient ses protégées du chemin immaculé qu'elle leur avait tracé. Durant la grande grève de l'hiver 1906, elle aperçut avec consternation plusieurs de ses élèves à qui elle faisait réciter le Pater quelques mois plus tôt parmi les mutins.

Elle avait six autres filleules qu'on lui amenait habillées en princesses, les jours de fête, pour lui prouver le bon usage de son argent. Elle les couvrait de largesses et de préceptes, mais ne destinait sa fortune qu'à Marie-Élise ou plutôt Myriam. « Ils t'ont confiée à moi pour ton bien, lui répétait-elle. Tu comprendras plus tard. » Ma grand-mère n'a jamais vraiment compris. Ses sœurs devant Dieu, leurs parents, le personnel de maison, les dames de cinq heures se posaient la même question. Pourquoi elle ? Ils considéraient cette légataire malingre avec un mélange de pitié et d'envie, en se demandant ce que sa mère spirituelle pouvait bien lui trouver. « Plus tard, tout cela sera à vous », lui lançait-on sans cesse d'un ton gourmand. Chacun la regardait comme si elle était à la fois en bas de l'échelle et en haut des marches. Ils la jugeaient à l'aune d'un escalier qu'elle ne voulait pas gravir. Elle se retenait pour ne pas crier. Non, elle ne sortait pas du ruisseau. Elle avait une famille, un nom. Elle n'était pas une bâtarde, une cendrillon ou une fille de rien, encore moins une profiteuse. Et elle n'avait rien demandé à personne.

3

La Rue-de-Grenelle ne diffère pas des habitations du pourtour méditerranéen qui comportent des pièces d'apparat accessibles aux visiteurs, ouvertes de plain-pied sur l'extérieur, donnant parfois sur un patio, et des parties privées, chambres, salles de bains, gynécée, réservées plus particulièrement aux femmes et aux enfants, bâties en retrait ou en hauteur. Plus on s'enfonce ou on s'élève dans l'édifice, plus on touche à l'intime, mot qui vient du latin *intimus*, la forme superlative de l'adjectif *interior*, l'intérieur, ce qui est au-dedans. Littéralement, intime désigne ce qui est contenu au plus profond d'un être. Ou d'un lieu. Le premier étage était le domaine de ma grand-mère. Pour regagner ses appartements, elle passait par « les derrières », comme on disait à la cour de Louis XIV, les arrière-cabinets réservés à la famille. Elle n'empruntait jamais l'autre voie possible, une petite plateforme suivie de quelques marches, qui reliait sa chambre à l'escalier, car cet espace nu était dépourvu d'appuis. On l'appelait abusivement « le palier », ce qui implique une pause entre deux déclivités, alors qu'il s'agissait plutôt d'un perron.

J'avais investi ce *no man's land*, délaissé également par mon grand-père pour la même raison d'impraticabilité. Je m'asseyais sur les marches et j'inventais des histoires avec mes petits soldats en utilisant comme table de jeu les rebords de part et d'autre des marches. C'était un poste d'observation idéal qui permettait de surveiller tout ce qui se passait, aussi bien dans la cour que dans la maison. Son unique mur, placé en face de la fenêtre, était percé d'une lucarne aveugle. Sur le côté gauche, il y avait un tableau. La toile faisait penser à un Magritte. Elle représentait une très grosse tête, toute ronde, coiffée d'un chapeau melon, qui faisait écho à l'œil-de-bœuf condamné. Elle s'intitulait, je crois, *Jeune Anglais*. Quand on entrait par le porche, la première chose que l'on apercevait, c'était ce veilleur au regard fixe et mystérieux. Dans mon imagination, il nous protégeait contre les voleurs.

4

Outre ses activités pédagogiques, Marie Nélet écrivait également des romans sous le nom de Myriam Thélen. Des textes imprégnés de religion et de féminisme. Ils n'ont jamais été réédités, mais sont pour la plupart en vente sur Internet. Notamment *À l'aube*, paru en 1905 chez Perrin. Lorsque je le reçus par courrier, je découvris qu'il était dédicacé de sa main à l'encre turquoise : « Au papa et à la maman des trois jolis petits apôtres Philippe, Jean et Pierre est dédié ce livre qui leur parlera du pays de Jésus et leur dira aussi la meilleure amitié de l'auteur. » Son ouvrage, destiné à des âmes, jeunes de préférence, plus qu'à des lecteurs, se déroule effectivement en Judée à l'époque du roi Hérode. Il s'inscrit dans toute une littérature édifiante et péplumesque en vogue à la fin du XIXe après les succès planétaires de *Ben Hur* de l'Américain Lewis Wallace et de *Quo vadis ?* du Polonais Henryk Sienkiewicz. C'est, très grossièrement résumé, l'histoire d'une femme opprimée par son père, berger à Hébron, puis mariée de force à un mari volage, et qui, à un âge mûr, réussit à acquérir sa liberté par la connaissance, le travail et une foi chrétienne forcément naissante. La trame sommaire, le récit un peu cucul, le style boursouflé et les multiples citations tirées de l'Ancien et du Nouveau Testament rendent aujourd'hui la lecture du livre difficile. Je comprends mieux pourquoi ma grand-mère n'en a jamais fait état.

En le parcourant, je revoyais défiler des images couleur sépia de palmiers, de chameaux, de paysans en keffieh, de gens en soutane. À Désertines, il y en avait des centaines imprimées sur des plaques de verre. Des vues doubles, mais légèrement décalées, afin de créer une impression de relief, que je visionnais dans une grosse boîte en acajou en collant mes yeux à une paire de jumelles. Un miroir placé en haut de l'appareil captait la lumière ambiante. Des boutons dorés sur les côtés permettaient de régler la netteté de l'objectif. Le stéréoscope recouvert d'un vernis, d'une patine de vieux violon, était posé sur une petite fenêtre d'où on apercevait le clocher du village. Les photos avaient été prises par la marraine durant son pèlerinage en Terre sainte, un rite obligatoire pour tout écrivain catholique. Depuis son voyage effectué, au tournant du siècle, en compagnie d'un jeune assomptionniste, elle nourrissait une passion pour un Orient biblique et immuable. D'où le choix de Myriam, la Marie hébraïque, la mère de Jésus ou la prophétesse, sœur de Moïse et d'Aaron, comme nom de plume, mais aussi comme nouveau prénom pour sa filleule. Elle signait d'un même pseudonyme ses deux œuvres principales.

5

Mêm, resh, yod, mêm. Myriam. Elle aimait apposer sa griffe sur ses biens les plus chers. Les quatre lettres hébraïques sont gravées sur chacun des ouvrages qu'elle lui a légués. De beaux livres reliés en demi-cuir marbré et dorés sur tranche par un artisan de Fougères. Quand j'étais enfant, ils remplissaient la bibliothèque en verre qui se trouve dans le vestibule, en bas de l'escalier. Ils ont été depuis rapatriés dans le bureau. Ou plutôt oubliés. Il s'agit surtout de romans ou de récits de voyage. *La Peur de vivre* d'Henry Bordeaux. *Les Vierges aux rochers* de Gabriele D'Annunzio. *Syrie, Palestine, Mont Athos* et *Les Morts qui parlent* d'Eugène-Melchior de Vogüé. *Terre d'Espagne* de René Bazin. *La Conquête de Jérusalem* de Myriam Harry qui reçut le premier prix Femina. Des écrivains pour la plupart monarchistes, catholiques sociaux ou nationalistes. On trouve aussi *L'Âme juive*, du père Stéphen Coubé, un prédicateur de la Madeleine célèbre pour ses harangues sur le peuple déicide. Un brûlot antisémite dédicacé, comme les autres, à « Myriam Thélen ».

6

La fillette avait honte de sa tutrice, de sa voix trop haut perchée, de son chapeau trop large, de ses manières de grande dame excentrique, qui, dans un bus, lui criait : « Myriam ! Tu t'es lavé les oreilles ? » En sa présence, elle se faisait toute petite. Elle s'efforçait de disparaître. Elle devait être sage, ne pas faire de bruit. Sa bien-faitrice l'aimait à sa manière. Elle ne savait simplement pas comment s'occuper d'un enfant. Malgré son rôle de mère, elle avait maintenu ses habitudes de veuve. Elle exigeait du calme, dînait tôt, mangeait léger. Elle recevait peu et méprisait l'étroitesse d'esprit des petites villes. Elle se rendait de plus en plus souvent à Paris où elle jouissait d'une certaine notoriété comme romancière. Elle siégeait à la Société des gens de lettres. L'un de ses livres, *La Mésangère* – journal de son expérience éducative à Fougères –, avait reçu le prix de l'Académie française. C'était une originale écartelée entre ses velléités féministes, ses ambitions littéraires et sa bigoterie. Elle avait un corps massif, un visage rond, couperosé. Elle s'habillait sans grâce. Tout en elle faisait vieux. La fillette l'appelait « mémé ». Un terme qui, prononcé très vite, peut se confondre avec « maman ». Lorsque, au sortir d'un cauchemar, elle réclamait sa mère biologique, sa marraine, croyant entendre son diminutif, accourait. Leur relation était fondée sur un malentendu.

7

Elle ne disait jamais qu'elle avait eu la polio. À ceux qui l'interrogeaient sur son infirmité, elle répondait : « Je suis tombée d'un pic ! »

comme si elle revenait des sports d'hiver avec une foulure. Jusqu'au bout, elle refusa l'usage d'appareils orthopédiques, même les plus discrets. Qu'une paire de béquilles la désignât à l'attention d'autrui et, pire encore, à sa pitié lui paraissait insupportable. Pas question non plus d'utiliser une chaise roulante à l'aéroport. Un service pourtant offert au moindre passager à mobilité réduite. À la veille de chaque épreuve, elle se préparait. Lorsque Roissy-Charles-de-Gaulle surgit en 1974, au milieu des champs de blé et de betteraves de la plaine de France, elle étudia de près l'accès aux salles d'embarquement réparties en étoile autour du « camembert ». Pour ne pas glisser en empruntant les escalators sans fin du patio central, elle s'exerça le dimanche matin sur les trottoirs roulants de la station Montparnasse-Bienvenüe qui étaient alors les plus longs du métro parisien. Elle s'entraîna comme une sportive, en effectuant plusieurs traversées dans les deux sens. Elle s'appliqua plus particulièrement à sauter aux extrémités de la bande passante. Le plus dur est de prendre et de quitter le tapis au moment où il accomplit sa rotation. Elle voulait passer inaperçue, mener une vie normale. Rue-de-Grenelle, elle aurait pu procéder à des aménagements intérieurs afin de faciliter ses allées et venues, mais il était pour elle inconcevable de transformer sa maison en hôpital. Ce n'est qu'à la toute fin qu'elle fit installer un monte-charge dans un lieu qu'elle souhaitait probablement détruire. Peut-être même était-ce le véritable but de l'opération. J'y reviendrai.

Elle s'estimait pareille aux autres. Elle était une femme, soucieuse de son apparence, attentive à sa toilette, aimant plaire, sortir, voyager. Au-dedans d'elle-même, tout fonctionnait. Son esprit galopait. Elle débordait d'énergie. Elle ne tenait pas en place. Elle se débattait, non pas comme un animal blessé, mais comme un fauve pris dans des rets. Elle n'était invalide qu'aux yeux des bien portants. Dès qu'ils remarquaient son pas chancelant, elle n'était plus que cela, une handicapée que l'on cherchait à aider, en offrant un bras, en tenant une porte, en s'effaçant, avec un regard plein de commisération. Elle était pour tous ces gens l'occasion d'un acte de générosité auquel elle répondait par un flot d'insultes, car elle préférait encore la répulsion à la miséricorde. La crainte qu'elle inspirait soudainement faisait au moins d'elle une égale. Elle refusait d'être enfermée dans une case. Elle souffrait juste d'un problème de coordination. Quand elle disait à ses jambes de bouger, elles n'exécutaient plus ses ordres ou alors sommairement et avec retard. Cette entrave la gênait dans sa vie quotidienne mais ne faisait pas d'elle quelqu'un de différent.

Le choix de ses chaussures nécessitait une longue expédition menée comme à l'accoutumée en famille. Elle se fournissait toujours chez la mère d'Alice Nuchi, dans sa boutique du Village suisse qui ressemblait à un débarras, tant elle était étroite et encombrée. Mère-Grand essayait des dizaines de paires avant de dénicher la bonne, généralement des escarpins à bouts en ogive et aux talons carrés. Elle grimaçait en contemplant dans la glace ses pieds minuscules qui surnageaient au-dessus de plusieurs couches de papier crêpé. Pour concilier son souci du paraître avec ses contraintes physiques, elle faisait ouvrir presque toutes les boîtes de l'échoppe. Compte tenu de son handicap, elle aurait dû prendre des bottines plates et enveloppantes, mais elle voulait se grandir de quelques centimètres, être élégante et, plus important encore, semblable aux autres femmes. Une fois ses chaussures achetées, elle les apportait à un cordonnier pour les faire raboter. L'artisan habitait très loin, en banlieue. Elle avait eu beaucoup de mal à le trouver. Afin, peut-être, de corriger une malformation de sa voûte plantaire, l'homme devait découper l'extrémité des talons selon un plan légèrement oblique. Elle le regardait tailler la pièce de bois au biseau. Elle faisait quelques pas, à titre de test, et repartait avec ses souliers bancals. C'était du bricolage. Tout était bon pour éviter podologues et magasins spécialisés.

8

À l'adolescence, elle se révolta. Dans *Les Parents trouvés*, elle évoque une fugue, puis une grande explication. Elle proclama qu'elle ne supportait plus les sermons d'Église, l'amour en viager, la tendresse sur commande. Elle s'excusa de ne pas avoir été un bon placement et annonça qu'elle clôturait son compte. Contrat résilié pour clause abusive. Marie Nélet l'écouta. Peut-être pour la première fois. Une fois la tirade terminée, elle lui dit : « Habille-toi, ma chérie, nous irons ensemble au restaurant et nous parlerons tranquillement. »

Elle n'avait pas su être mère, elle s'employa à devenir son amie. Elle l'emmena en Italie. Rome, le Vatican, les catacombes, le tombeau de saint Paul. Pour elle, tourisme et pèlerinage ne faisaient qu'un. La jeune fille dédaigna les bondieuseries, ne prêta pas attention aux parades fascistes – Mussolini venait d'accéder au pouvoir – et découvrit l'attrait qu'elle exerçait sur les garçons. Elle adora son voyage. Entre elle et son chaperon, une complicité naquit. Elle pardonna à la prêcheuse et apprit à respecter la suffragette. Elle commença à voir en elle une émancipatrice qui, après l'avoir achetée, allait l'affranchir. Ses sœurs vivaient dans le dénuement, sous le joug d'un père corse qui, pendant la guerre de Quatorze, menaçait de les tuer afin de préserver leur honneur si les « Teutons » parvenaient jusqu'à Rennes. Elle était libre.

Bientôt, elle serait riche. Par-dessus tout, elle comprit que sa marraine l'aimait : « Mon bonheur fut le grand, peut-être le seul but de sa vie », écrit-elle.

Elle entama des études de médecine, vraisemblablement sous son influence. Myriam Thélen avait publié quelques années plus tôt *L'Interne* avec le Dr Marthe Bertheaune, un autre pseudonyme. Un récit en partie autobiographique. Son coauteur avait été l'une des premières en France à réussir le concours d'internat des hôpitaux. Anne Darcanne-Mouroux, de son vrai nom, était une pionnière. Gynécologue, elle dirigeait un dispensaire à Fougères. Elle voulait libérer le corps de la femme, notamment par la culture physique, et présidait une société sportive féminine. Elle vivait séparée de son mari. À ceux qui s'étonnaient de son absence, elle leur faisait toujours la même réponse : « Il est parti à la chasse ! » disait-elle sans préciser la nature de son gibier. Myriam Thélen l'avait initiée à la littérature et suivie à Paris. Elles étaient inséparables et cosignèrent un autre roman intitulé *Le Docteur Odile*. Plus tard, elle écrivit seule plusieurs livres dits d'apprentissage dans la collection « Jeunes femmes et jeunes filles » de Fayard. Ses héroïnes, confrontées à des choix cornéliens, finissaient toujours par faire passer le devoir avant les sentiments. Ma grand-mère ne pouvait pas la supporter, mais marcha sur ses traces.

9

Il est logique qu'après une enfance pareille, elle n'ait eu de cesse de recréer ce dont elle avait été privée : une famille conçue comme un bloc compact. Elle ne se déplaçait qu'entourée des siens. « Mes enfants sont mes cannes », disait-elle. C'était évidemment un moyen non pas seulement de se tenir, mais de nous tenir. De garder ses enfants attachés ou plutôt menottés à elle. De les avoir à portée de main, en tout lieu, à tout moment. Jean-Élie à droite, Anne à gauche. Et derrière, l'un de ses autres enfants. « Pendant très longtemps, mon bras était toujours plié pour l'aider », raconte Christian qui en vient parfois à se demander si elle n'exagérait pas son mal pour mieux tous nous maintenir sous son pouvoir. Il m'arrivait à moi aussi de lui servir d'attelle. Je sentais ses pinces se refermer sur mes doigts, son squelette se raidir, son poids tout entier peser sur moi. Elle était la seule à faire presque constamment sentir aux autres son propre corps. Nous étions ses membres manquants, ses marchepieds ou alors ses supports mobiles, comme les chaises qu'elle repoussait devant elle. Nous faisions partie des meubles. Peut-être même n'y avait-il pas de différence entre nous et les objets inanimés qui nous entouraient ? Nous constituions tous sa maisonnée.

10

Comment et où fit-elle sa connaissance ? Dans
l'amphithéâtre lors d'un de ses exposés sur
« le cancer des côlons » ou « le traitement des
adhérences et des périviscérites abdominales » ?
Autour d'un café, à la terrasse du Bullier ? Dans
un couloir de l'Hôtel-Dieu ? Faisait-elle partie
de la cohorte de stagiaires et d'infirmiers qui
le suivait, pas à pas, entre les couchettes en fer
et les brancards ? Ou était-ce par l'entremise de
Zina, sa complice depuis les premiers jours de la
faculté ? Il était chef de clinique, auréolé de sa
médaille d'or de l'internat. Elle devait être en
deuxième ou troisième année de médecine. Ils
se ressemblaient. Ils portaient l'un et l'autre sur
le monde un même regard d'incompréhension.
Elle fut séduite par sa peau mate, ses cheveux
noirs ondulés, sa petite moustache en pointe
et la douceur, l'humanité qu'il témoignait à ses
malades. Contrairement à nombre de ses éminents confrères, il ne se montrait jamais indif-
férent face à la souffrance. Il tomba sous le
charme de cette jeune fille de vingt ans dépourvue d'attaches et de préjugés. Au regard de la
loi, elle était encore mineure, mais ne relevait
plus d'aucune tutelle. Marie Nélet venait de disparaître. Elle pouvait dire oui à qui elle voulait,
personne ne s'y opposerait. Certainement pas sa

famille biologique qui, en l'abandonnant, avait perdu tout droit sur elle. Seul son père aurait pu contester son choix, mais lui aussi était mort.

Le Dr Anne Darcanne-Mouroux les reçut et leur donna sa bénédiction. Ils se marièrent le 10 juillet 1929, à Désertines, sur les terres dont elle venait d'hériter. Elle portait encore le deuil de sa mère adoptive. La cérémonie se déroula de nuit, presque à la sauvette, par respect pour la défunte. Ou était-ce par un souci de discrétion ? Pour éviter un tollé ? Les médisances tendent à se dissoudre dans l'obscurité. À l'exception du patriarche, les Ilari étaient tous là, cousins compris. Les Boltanski se réduisaient à Étienne et sa mère.

Niania arriva avec son accent, son faux nom et un officier qui parlait fort et lui servait de chevalier servant. Sur la place du village, il n'était question que d'elle, de « ses mauvaises manières », de « son amant si vulgaire ». Le scandale éclata en fin de journée à la mairie lors de la présentation des livrets. Sur les papiers, elle ne s'appelait pas Hélène Macagon, mais Enta Fainstein. Elle prétendait être russe. Aux yeux de la future belle-famille, elle était juive et rien d'autre. On cria à l'usurpation d'identité, à la tromperie. Elle expliqua que, dans son pays, ceux qui devaient faire le service militaire étaient choisis par un système de loterie. Pour éviter la conscription, l'un de ses ancêtres Macagon aurait échangé son nom avec un garçon épargné par le sort, un certain Fainstein. Son histoire confuse, déblatérée dans un français de cuisine, ne convainquit personne.

Devant le maire, Myriam était flanquée de sa sœur aînée, Madeleine. Étienne avait pour témoin un certain Dr Georges Lebedinsky. Comme le mystérieux étudiant en médecine Lebedinsky qui, trente-trois ans plus tôt, avait attesté sa naissance devant l'officier d'état civil à Paris. Celui-ci se prénommait Jacques. Était-ce le même ? Ou s'agissait-il encore d'une erreur de transcription ? Internet mentionne un Georges Lebedinsky, « mort pour la France » en 1944 au camp de Buchenwald, à l'âge de vingt-deux ans, fils d'un Jacques Lebedinsky, décédé quant à lui avant la Seconde Guerre mondiale.

Il devait être plus de 22 heures lorsque les époux sortirent de l'église. Ils se rendirent en calèche à la grande maison cachée sous les sapins où un pot les attendait. Dans la salle principale éclairée à la lampe à pétrole, une quinzaine de fermiers endimanchés accueillirent l'enfant circoncis des Batignolles au cri de : « Vive notre nouveau maître ! »

11

Deux fois par jour, Jean-Élie dévalait l'escalier en sens inverse. Il descendait à la cave pour aller remettre du charbon dans la chaudière à calorifère. À chaque fois qu'il réveillait le monstre impotent et obèse posé en équilibre sur ses assises de fonte, les murs se mettaient à trembler. Les bruits de la pelle, des boulets qui s'entrechoquaient et de la manette que mon oncle actionnait d'une main vigoureuse pour faire tomber les cendres de la grille, montaient par les conduits et résonnaient à travers tous les étages. La Rue-de-Grenelle était un être vivant. J'emploie le passé car elle a retrouvé depuis sa fixité d'immeuble. Du temps de ma grand-mère, elle se composait d'organes. La cuisine servait d'orifice. Le cerveau phosphorait dans le bureau. Le salon formait l'enveloppe charnelle. Dans cette anatomie camérale, l'escalier, c'était les jambes. Nous étions engloutis dans le ventre de la baleine. Le philosophe Thomas Hobbes définit le Léviathan comme l'antithèse de la sauvagerie, comme une autorité absolue capable d'établir un ordre politique, de faire régner la paix et la sécurité, par opposition à un état de nature violent et bestial. Nous avions trouvé refuge dans les limbes pour fuir le chaos extérieur.

12

Tout commença par une mauvaise fièvre, un terrible mal de tête, une raideur à la nuque, pareille à un torticolis, et des frissons au plus profond des os, comme si son squelette se transformait en un bloc de glace. Elle crut à une grippe, à un simple coup de froid, malgré la chaleur de l'été. Le lendemain, elle s'effondra en essayant de se rendre dans la salle d'eau, comme si elle avait des chaînes aux pieds. Elle claquait des dents sans s'arrêter. Elle se couvrit de bouillottes en caoutchouc qui gargouillaient sous son plaid écossais. Les jours suivants, son état empira. Nausées, vomissements, fatigue intense et des douleurs atroces dans les jambes, surtout la droite. Impossible de quitter son lit, même de bouger. Immobile dans ses draps moites, elle poussait des cris de petite fille. La paralysie gagna son bras gauche. Un médecin donna des coups de maillet sur ses genoux amorphes et diagnostiqua une poliomyélite antérieure aiguë. Elle fut envoyée dans un service pour contagieux, placée à l'isolement, intubée, mise sous sonde. Au bout d'une semaine, la température chuta brutalement. Elle regarda son corps écrasé sur le matelas. Il n'avait pas changé, mais il ne lui obéissait plus. Ses membres s'étaient comme détachés d'elle.

Elle évita la mort par asphyxie et retrouva progressivement l'usage de son bras. En l'absence de remède, elle subit des traitements « tout nouveaux » à l'électricité, des séances d'étirement des muscles qui n'en finissaient pas, des poses, cinq à six fois par jour, de compresses chaudes autour des jambes et des bras, des opérations

chirurgicales qui la laissèrent entièrement plâ-
trée pendant des mois. Elle voulut fuir l'hôpital,
ce théâtre de la passion. Les « crevardes » devant
lesquelles le personnel ne perd plus son temps,
leur place retrouvée vide au petit matin, les draps
bien plats, sans le moindre faux pli, et, autour, le
ballet inchangé des garçons de salle et des infir-
mières. Le patron, suivi par sa cour, qui profère
sa sentence au-dessus du lit de fer, sans un regard
pour le condamné. Les êtres humains considérés
dès lors qu'ils sont en position allongée comme
des souris coupées en deux prêtes à être dissé-
quées. Le silence général opposé aux questions
des patients et de leurs proches. Elle connaissait
déjà tout ça. Elle était juste passée de la scène à
l'orchestre. Elle se mit à haïr le spectacle. Jusqu'à
la fin de sa vie, elle exécra la médecine et ses
serviteurs. Elle entra en résistance contre la maladie, les valides, contre tous ceux qui voulaient
l'enfermer dans sa nouvelle condition.

13

Les jours où Grand-Papa ne recevait pas,
généralement le samedi ou le dimanche, Anne,
Ariane et moi transformions l'escalier en tobog-
gan. Nous dégringolions la piste formée de deux
matelas synthétiques mis bout à bout. De gros
oreillers nous servaient de luges. Au virage,

nous tassions des couvertures pour faire la jonction entre les literies. Le plus souvent, la laine rugueuse déviait notre course et nous allions nous encastrer dans la courbe du mur. Jean-Élie avait toujours peur que nous ne nous fassions mal. Il redoutait en particulier que nous ne nous bloquions la tête entre les montants métalliques de la rampe, hypothèse hautement improbable, vu la taille de nos crânes, mais qui l'obsédait. Nous aimions aussi remonter la pente, toujours assis sur nos polochons, à la force du poignet, en nous accrochant aux barreaux. Dès qu'on lâchait prise, on redescendait jusqu'en bas. Nous repartions aussitôt à l'assaut du sommet. Tous les enfants aiment jouer à Sisyphe. Peut-être cherchions-nous aussi à imiter Mère-Grand en train de faire rouler son rocher ?

14

Comment l'avait-elle attrapé ? Le virus pénètre par la bouche, se multiplie dans les ganglions lymphatiques cervicaux et atteint les régions motrices du système nerveux. Sa transmission est exclusivement interhumaine et s'effectue le plus souvent par l'intermédiaire d'eau souillée ou d'aliments contaminés par les selles. À l'époque, comme personne ne connaissait la source de la contagion, on pouvait soupçonner n'importe quoi. Elle accusa son mari. En découvrant qu'il avait eu des maîtresses avant leur mariage, ce qui n'était pas surprenant, compte tenu de leur différence d'âge (il avait douze ans de plus qu'elle), elle avait piqué une crise et était tombée malade peu après. Elle attribua sa polio au choc psychologique. Par la suite, elle incrimina l'eau stagnante du lac inférieur du bois de Boulogne qu'elle aurait ingurgitée par mégarde au cours d'une promenade en barque. À chaque grande épidémie, les médecins recommandaient de ne pas boire aux fontaines publiques. Plus probablement, elle fut infectée durant son service à l'hôpital. Elle ne termina jamais ses études médicales.

En quelques mois, elle avait pris trente kilos. Elle était devenue difforme. Elle risquait de finir clouée au lit, comme les grands obèses. Elle envisagea le suicide. Mais comment faire sans complicité ? Étienne lui expliqua que la femme qu'il aimait était, à ses yeux, intacte, que la normalité n'existait pas et qu'un être ne se résumait pas à ses appendices. Elle perdit du poids, dut réapprendre à marcher à l'aide de béquilles de bois placées sous ses aisselles qu'elle prit en horreur et baptisa ses « petits croque-morts ». Tout ce qui courait à ses pieds devint dangereux et hostile. Au prix d'innombrables chutes et entorses, elle apprit à escalader des montagnes, à franchir des abîmes, et, plus encore, à faire illusion, à développer toutes sortes de stratagèmes pour cacher son infirmité. Lorsqu'elle tombait, il lui arrivait d'être dans l'incapacité de se relever et d'attendre pendant des heures, étalée par terre, l'arrivée d'une main secourable. Elle ne pouvait plus être seule. Elle avait perdu son indépendance si chèrement acquise et retrouvait sa peur enfantine de l'abandon. La vue de gens courant dans la rue, sautant dans un bus à impériale, dévalant vers une bouche de métro, l'insupportait. Du regard, elle cherchait les autres, les mal portants. Dans ce Paris de l'après-Quatorze, elle n'avait aucun mal à en trouver. Elle faisait le décompte des mutilés de guerre, comme avant des beaux gosses.

15

Début 1944, Luc gravit seul l'escalier. Arrivé sur le palier, il aperçoit dans l'encadrement de la porte des rideaux bouger et des pieds apparaître sous le tulle. Il redescend en criant qu'il a vu un fantôme. Sa mère pâlit. Elle attend quelques minutes avant de lui demander de retourner au premier étage. Il monte les marches une par une, avec inquiétude. Une fois en haut, il découvre son grand frère Jean-Élie dans la robe de chambre de leur père, caché derrière le voilage blanc. « Tu as voulu me faire peur ! » lui lance l'enfant, en riant.

APPARTEMENT

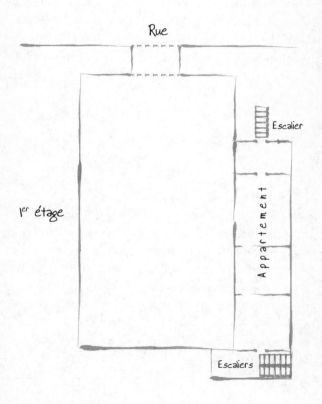

Rue

Escalier

Appartement

1er étage

Escaliers

1

Au premier étage, la porte de droite est condamnée. De l'autre côté, Anne, ma tante, habite un deux-pièces indépendant avec cuisine et salle de bains. Elle y accède par l'escalier collectif qui donne dans la cour. Elle a quatre ans et demi de plus que moi. Je la considère comme ma sœur. Autrefois, elle ne vivait pas là. Elle avait sa chambre, une chambre d'enfant qui touchait celle de Mère-Grand et de Grand-Papa. Quand elle me gardait, nous restions parfois des après-midi entiers confinés dans son petit espace niché au fond de la maison. Nous imaginions être perdus au milieu des eaux. Pour échapper à la noyade, nous escaladions son lit superposé. De là, nous sautions sur le rebord en marbre de la cheminée, puis sur la table à tréteaux. Une échelle jetée en travers d'une chaise nous permettait de revenir à notre point de départ. Le jeu consistait à faire le tour de la pièce sans jamais mettre les pieds à terre. Nous jouions également aux fléchettes. Nous lancions nos projectiles n'importe comment. Un tableau de Christian accroché au-dessus de la cheminée, le premier qu'il ait réalisé et qui trône aujourd'hui chez moi, en porte les cicatrices. Nous pouvions faire à peu près tout ce que nous voulions sans encourir le moindre reproche. À l'époque, elle ne s'appelait pas Anne, mais Françoise. À l'école du quartier, elle portait un patronyme à la sonorité espagnole : Fondevilla. Mais cela, je ne le savais pas.

J'ai appris, vers l'âge de sept ou huit ans, qu'elle n'était pas ma tante biologique. Mon autre grand-mère, Mamie, me l'annonça un matin, sans ménagement, avec son ton d'ancienne maîtresse de la communale. « Françoise ? Elle est adoptée ! » Devant mes dénégations, sa voix devint dure. Presque sarcastique. Comme si elle venait de démasquer une imposture et se moquait de ma crédulité. « Vraiment ? Tu ne savais pas ? Personne ne te l'avait dit ? » Je crus que l'on m'avait caché quelque chose de honteux. Pis, que l'on me séparait de ma tante, de ma grande sœur, que l'on m'arrachait une partie de moi-même. J'éclatai en sanglots. Je me revois pleurant des heures sur le canapé de son salon, à Poissy, et elle me disant, toujours avec sa voix martiale d'instit de la IIIe République, d'arrêter mon « cinéma ».

Après, ou peut-être même avant cette découverte, j'ai eu le sentiment d'avoir été moi-même recueilli par la Rue-de-Grenelle. « Si vous voulez sortir, mettez-moi chez les Bolt », fut, paraît-il, l'une des premières phrases cohérentes que je sus prononcer devant mes parents. Je me suis longtemps identifié à Françoise. Elle et moi sommes arrivés à peu près en même temps chez « les Bolt », ce diminutif qui désigne le kibboutz familial et claque comme une salve électrique. Elle encore toute petite fille, moi bébé.

En adoptant à son tour, Myriam l'orpheline a-t-elle voulu trouver un double ? Reproduire le geste de sa marraine ? Créer une nouvelle lignée fondée non sur le sang, mais sur le choix ? Ou combler un vide ? Quelques mois plus tôt, l'un de ses fils, Luc, mon père, avait commis le péché impardonnable de partir vivre ailleurs pour cause de mariage et d'enfantement. Elle ne se remit jamais de cette défection qu'elle vécut comme un échec personnel, au point de lui consacrer un livre au titre évocateur : *La machine a fait tilt.* Le tilt en question étant, en définitive, ma venue au monde imprévue, sinon prématurée. Elle ne s'avoua pas vaincue pour autant et continua à jouer au flipper. Après avoir perdu une partie, elle remporta même deux extra-balles. Françoise et moi.

2

Françoise n'aimait pas son prénom trop daté, choisi de surcroît par une mère inconnue et qui l'avait abandonnée, même si celle-ci avait des raisons qu'elle découvrit plus tard. Lorsqu'elle commença la photographie, elle décida de signer son travail sous une nouvelle identité : Anne Franski. Un mixte, évidemment, de Boltanski et d'Anne Frank. Toujours cette obsession de la guerre, de la mort et de l'enfermement. Elle ne m'a jamais dit pourquoi elle avait choisi ce nom. Outre une allusion évidente à notre histoire familiale, j'y vois une autre raison. Sa vie dépend elle aussi d'un espace clos, d'une enveloppe protectrice, d'une carapace. Chaque semaine, un jour sur deux, elle se rend seule à son « annexe », un centre médical où elle disparaît derrière des tubes et des plaques de métal. Un bourdonnement de moteur accompagne sa renaissance. Dans l'heure qui suit, elle peut manger ce qu'elle veut. Le reste du temps, elle s'empoisonne tout doucement. Elle est née avec un seul rein qui a cessé de fonctionner lorsqu'elle avait une vingtaine d'années.

Ses photos les plus troublantes sont prises durant ses longues séances de dialyse. Quatre heures d'affilée pendant lesquelles le sang, activé par une pompe, sort à gros jets d'une veine dilatée, d'une nervure bleue et frémissante, emprunte l'une des deux aiguilles plantées dans le bras, disparaît dans un fouillis de conduits, de valves, de soupapes, de filtres, toute une plomberie qui palpite à son rythme, le fluidifie, le nettoie, le débarrasse de ses déchets et lui apporte les minéraux dont il manque. Anne saisit des corps souffrants recouverts de linceuls et reliés, comme elle, à des machines. Des êtres hybrides, mi-humains, mi-robots. Elle ne prend pas les visages et ne dévoile que des détails. Une chevelure qui dépasse d'un drap, des poignets gonflés pendus dans le vide, des membres tuyautés de toute part à de gros appareils blancs d'un autre âge, sortis d'un roman futuriste à la Jules Verne. Elle filme aussi des êtres perdus face à l'immensité de la nature ou de la ville, aux contours toujours flous, des ombres noires que personne ne remarque, appuyées contre des colonnes de pierre et dont on n'aperçoit encore une fois que des mains tendues ou offertes. Ses images montrent toutes l'intimité et la fragilité de la personne humaine.

3

Françoise Fondevilla, Anne Franski, Marie-Élise Ilari, Myriam Guérin, Annie Lauran, Marie Nélet, Myriam Thélen, Étienne Boltanski, Jeanine Giraud… Cette famille n'est qu'une longue suite de pseudonymes, de sobriquets, d'alias achetés ou imaginaires. Des noms plus tout à fait propres à force d'en cacher d'autres qui posent tous la même question : « Qui sommes-nous ? »

4

Hélène Macagon – à moins qu'il ne s'agisse d'Enta ou encore d'Entele Fainstein – a vécu là, elle aussi, jusqu'à sa mort, à la fin des années cinquante – j'ignore quand exactement. Elle n'aurait pas supporté d'être loin de son garçon, de son « petit roi » promis à un avenir radieux. Ils ne se sont jamais quittés. Sauf par deux fois. En temps de guerre.

Les six premières années de son mariage, Étienne installa son épouse dans le logement exigu qu'il partageait avec sa mère, au 84, rue de Grenelle, juste au-dessus de la société d'horticulture. Une fois nommé chef de service des hôpitaux de Paris, il apprit qu'un hôtel particulier, situé plus haut dans la rue, était à louer. Du moins sa partie centrale et les deux premiers étages de son aile gauche. En 1935, le couple y emménagea avec Jean-Élie qui venait de naître, et bien sûr avec Niania. Elle prit l'appartement du premier qui, grâce à son entrée séparée, lui permettait de jouir d'une certaine autonomie, mais communiquait aussi avec le reste de la maison. Elle était là, tout en étant à côté. Tous les jours, vers 17 heures, elle franchissait la porte du palier qui était alors ouverte pour passer la soirée avec son fils et sa bru.

Durant la journée, elle recevait dans sa chambre reconvertie en salle d'examen de jeunes patients affligés d'une déformation de la colonne vertébrale. Elle les manipulait dans tous les sens, leur criait « Redllressse-toi ! » et, une fois la séance terminée, ordonnait aux parents de remplir eux-mêmes l'ordonnance. Elle prétendait que cela faisait partie du traitement. Elle maîtrisait mal le français, elle le lisait, mais ne savait pas l'écrire. Elle ne possédait aucun titre, pas le moindre diplôme. Sa vocation médicale datait des tranchées. Avait-elle voulu servir le pays qui l'avait accueillie ou rejoindre son fils sur le front ? Probablement les deux. Elle s'était engagée, comme lui, en 1916, dans une unité de santé de l'armée. Elle en sortit deux ans plus tard avec le grade d'infirmière-major et une pièce de métal épinglée à sa cape de feutre. Revenue à la vie civile, elle était devenue fille de salle à l'hôpital Laennec. Chargée d'assurer la gymnastique orthopédique à la clinique chirurgicale infantile, elle avait inventé avec un médecin, le Dr Marcel Lance, une série de mouvements contre la scoliose. Méthode qu'elle prodiguait à domicile.

Elle ne parlait pas beaucoup de sa jeunesse, comme si cette page de sa vie était définitivement tournée. Son passé lui revenait par vagues, à certaines saisons. En septembre, elle courait tout Paris à la recherche de maïs en branche, une denrée aujourd'hui vendue sous vide dans n'importe quelle supérette, mais alors quasiment introuvable. À l'approche de l'hiver, elle entreposait des tonneaux de choucroute à la cave. Elle n'évoquait sa propre famille que par bribes. Elle gommait systématiquement les détails douloureux. Elle distillait des anecdotes auréolées de magie et de gloire. Elle se serait volontiers dépeinte sous les traits d'une princesse chassée par les bolcheviks. Son père, répétait-elle, n'avait jamais porté un paquet de sa vie. Elle racontait aussi que, avant la Révolution, un de ses cousins possédait des puits de pétrole autour de Bakou. Et puis, il y avait le traîneau semblable à un jouet, tiré par quatre chevaux, glissant à toute allure sur la neige au son des clochettes. Dans ce roman russe probablement en partie inventé, il ne manquait qu'un palais d'hiver, une datcha, un régisseur et des moujiks.

Elle prétendait – ce qui était un mensonge – qu'elle ne savait pas un traître mot de yiddish. Étienne conversait parfois avec elle en russe. Il en connaissait des rudiments, une musique entendue enfant, qu'il n'a lui-même pas cherché à transmettre. Certaines expressions lui ont survécu. Les plus grossières : « *Nie Marotch Mne Japou !* » – « Ne me pèle pas le derrière » –, « *Sabaka !* » – « Chien » –, ou « *Ke Tchortou !* » – « Qu'il aille au diable ».

Je ne sais pas trop comment Marie-Élise supportait la cohabitation avec sa belle-mère. Je crois qu'elle l'aimait bien. Elle appréciait son côté fantasque, sa volonté de fer, son incroyable énergie. Vers la fin, Niania continuait à recevoir ses élèves alors qu'elle ne marchait presque plus. Elle ne connaissait pas son âge ou feignait de l'ignorer. Quand la question lui était posée, elle avait l'habitude de répondre : « Mes enfants, je ne dois pas être jeune. »

5

Après sa mort, je pense au début des années soixante, les Bolt décidèrent de visiter Odessa. Ils partirent comme toujours en voiture. Un voyage long et difficile. Après 2 600 kilomètres de conduite et une série de problèmes mécaniques, Grand-Papa décréta qu'il n'irait pas plus loin. Il n'était plus qu'à une heure de route de son point d'arrivée. Il s'arrêta à un carrefour, bifurqua vers l'est, longea la mer Noire et poussa jusqu'à Rostov-sur-le-Don où la Renault 16 finit par couler une bielle à cause d'une huile défectueuse. Il revint plusieurs fois en Union soviétique. Il alla partout. À Kiev, Minsk, Moscou, Leningrad. Même à Irkoutsk et Vladivostok en empruntant le Transsibérien. Dans sa ville d'origine, jamais.

Je me suis longtemps demandé pourquoi. Petit, on me disait qu'il n'avait pas voulu prendre sa mère en flagrant délit de mensonge en confrontant ses récits à la réalité. Il avait tenu à respecter ses rêves de jeune princesse, ses souvenirs merveilleux du « Petit Paris » des steppes. Il y a, selon moi, une autre raison. Il a eu peur de ce qu'il pouvait découvrir à Odessa et, aussi, de ce qu'il risquait de ne pas y trouver. Il redoutait, peut-être par-dessus tout, l'absence de trace. Le néant. J'en ai fait moi-même l'expérience.

6

Quand je dois expliquer d'où vient mon nom, je ne dis pas de Russie, encore moins d'Ukraine, mais d'Odessa. Lorsqu'on me demande mes origines, je réponds : « Odessa. » Dans mon esprit, cela suffit. Pas besoin d'en rajouter. Ceux qui savent comprendront. Comme si l'appartenance à cette cité portuaire tombée en déshérence et peuplée essentiellement de fantômes tenait lieu à la fois de nationalité et de religion. Même de métier. Cela fait tout de suite un peu artiste. Compte tenu du bric-à-brac identitaire dans lequel je me débats, ce pis-aller permet d'éluder des questions embarrassantes. Odessa, c'est simple et de bon goût. Curieusement, on se revendique d'une agglomération où on n'a jamais osé mettre les pieds. Après le refus de mon grand-père d'y pénétrer, c'est même devenu une zone interdite. Une utopie. Un lieu imaginaire. Ou alors un point de fuite, ce repère vers lequel on dirige le regard et qu'on ne voit pas.

7

En juillet 2014, j'ai brisé le tabou familial. Le prétexte ? Un reportage sur un massacre commis deux mois plus tôt à Odessa. Le lieu du crime jouxte la gare centrale de Vokzal d'où mon arrière-grand-mère a pris la fuite. La Maison des syndicats se dresse au milieu de la place Kulikovo, un vaste terre-plein entouré de conifères. En l'apercevant de loin, entre les sapins, on peut croire que l'Union soviétique existe toujours. Une fédération de républiques bâtie pour durer éternellement, massive, puissante comme un temple grec. Il faut se rapprocher de ses colonnes doriques pour remarquer la suie qui recouvre le pourtour des fenêtres. Une palissade métallique en interdit l'accès, mais on devine que tout est carbonisé à l'intérieur. Ce n'est plus qu'une grande carcasse vide.

Je m'y suis rendu avec Sacha, mon traducteur, dès le lendemain de mon arrivée. Ce soir-là, deux cents activistes prorusses occupaient l'esplanade transformée en sanctuaire. Des retraités pour la plupart. De vieux Soviétiques, des babouchkas en fichu qui, un soir, s'étaient endormis en URSS et réveillés, le lendemain, dans un autre pays. Et aussi des jeunes, presque des enfants, qui portaient au poignet un ruban orange rayé de trois bandes noires. Ils écoutaient dans un silence religieux les harangues d'une femme également d'un certain âge, engoncée dans une tenue moulante rouge. Une fidèle de l'ancien président en fuite qui répondait au surnom de « Miss Barricade ». Elle ne leur faisait pas un discours, elle les injuriait. Elle leur disait de « lever leur cul » et d'aller « buter » ces « fascistes » d'Ukrainiens. Les mots qu'elle employait étaient durs, violents. Elle les exhortait, en gros, à tuer leurs voisins.

Tous ces gens étaient réunis pour commémorer ce qui était alors l'une des journées les plus meurtrières de la guerre en Ukraine. Leurs camarades avaient péri sur cette même place dans des circonstances encore obscures. Une marche pacifique de nationalistes ukrainiens dans le centre-ville. Des tirs. Les premiers cadavres. Vraisemblablement, une provocation. Puis la vengeance. L'assaut contre les prorusses massés place Kulikovo. La Maison des syndicats transformée en camp retranché, encerclée par une foule ivre de colère. Encore des coups de feu. Un incendie déclenché, sans doute, par des cocktails Molotov. Des assiégés pris au piège, brûlés ou asphyxiés. D'autres préférant se jeter dans le vide. Des corps réduits en bouillie sur le gravier. Des survivants battus, parfois lynchés. Au total, quarante-huit morts et des centaines de blessés.

Les manifestants avaient allumé de petites bougies qui dessinaient sur le sol les mots « *Nie zaboudiem* », ce qui en russe signifie : « On n'oubliera pas. » En réalité, Odessa avait déjà oublié.

192

C'était l'été. Boulevard Primorsky, des couples dansaient le tango autour du buste de Pouchkine, le frôlant presque, comme s'ils voulaient l'entraîner dans leur ronde. Un peu plus loin, un cinéma en plein air projetait un film d'action. L'écran encadré par des colonnades et surmonté d'un fronton rappelait un peu la façade à l'architecture stalinienne de la Maison des syndicats. Le long de Deribas, les terrasses étaient bondées. Pas de militaires, ni de policiers en vue. Juste des familles dévorant des glaces devant des immeubles couleur pastel, dégoulinants de stuc. Dans le jardin municipal, une fanfare jouait l'air de rien, alors que, plus à l'est, les combats faisaient rage. Durant tout mon séjour, je ne fus témoin que d'un seul acte de violence. Un vol à la tire, rue Ekaterininskaya. La victime, une jeune femme blonde et longiligne qui sortait d'une voiture aux vitres fumées, ne se laissa pas faire et s'accrocha de toutes ses forces aux poignées de son sac en croco. L'agresseur repartit en courant, les mains vides, devant des badauds impassibles.

Un poète à la barbe blanche, Boris Khersonski, m'avait donné rendez-vous dans une brasserie où il avait ses habitudes, rue Zhukovskogo. Il commença par me raconter qu'un mafieux local avait racheté dans les années quatre-vingt-dix l'établissement où nous nous trouvions. L'ancien propriétaire avait obtenu en échange quelques hryvnias et la vie sauve. Une pratique apparemment courante à l'époque. Je voulais savoir comment les habitants avaient réagi à tous ces événements. « Ils se sont simplement endormis, m'a-t-il dit. Les jours suivants, les rues étaient presque vides. »

Comme la plupart de mes interlocuteurs, il croyait à un complot. À une manœuvre de Vladimir Poutine et de ses agents. La fusillade, puis l'occupation de la place Kulikovo devaient être le premier acte de la reconquête par la Grande Russie de ce port stratégique de la mer Noire.

« Cette étincelle était supposée provoquer un embrasement général, expliqua-t-il. Les conspirateurs ont cependant négligé un trait de caractère des Odessites : leur *belle indifférence.* »

Il prononça ces derniers mots en français, en détachant chaque syllabe. Boris Khersonski aime sa ville, mais il ne croit pas à sa légèreté, à sa prétendue ouverture. À tous les mythes qu'elle trimbale. « Les pires pogroms de Russie ont été commis ici. » Il énuméra une suite de dates : 1821, 1859, 1871, 1881, 1900, 1905, 1919. Un carnage presque tous les dix ans. Il ajouta : « Odessa s'est aussi montrée très tolérante à l'égard des crimes de Staline. » Moins par peur, selon lui, que par une forme de détachement.

Durant la guerre, une partie de sa famille fut exterminée par les nazis et leurs supplétifs roumains. Les Juifs, du moins ceux qui n'avaient pas fui, soit près de deux cent mille personnes, disparurent très tôt, au cours de l'automne 1941. Des bouleaux ont été plantés place Khvorostovskaya d'où les déportés partaient vers les camps de

Transnistrie. Un pour chaque juste. « Il n'y en a que vingt et un, s'écria Boris Khersonski. Vingt et un arbres pour un million d'habitants ! Et pour cette poignée de justes, combien y a-t-il eu de dénonciateurs, de traîtres, de profiteurs, d'accapareurs de biens ? »

8

Niania devait avoir gardé en mémoire les émeutes de 1881 qui suivirent l'assassinat de l'empereur Alexandre II. Plusieurs jours de pillages et de meurtres perpétrés par des voyous gorgés de vodka, avec l'assentiment de la police secrète. D'après ses papiers, elle venait d'avoir dix ans. Une date de naissance fictive. Comme le reste. Elle avait dû se vieillir pour pouvoir quitter seule la Russie tsariste. Même avec deux ou trois années en moins, elle demeurait en âge de comprendre ce qui se passait. Sa maison avait-elle été saccagée ? Son père s'était-il fait molester ? S'était-elle réfugiée dans l'oubli ou en avait-elle parlé à ses proches ? Dans un de ses romans, ma grand-mère décrit une Enta « recroquevillée dans l'armoire, haletante, épiant les cris, les pogroms possibles ». La formulation est étrange. Les pogroms sont évoqués comme une éventualité, non comme un fait passé. Tel un cauchemar qui la poursuivrait jusque dans son exil. Je ne sais pas si elle a déchiré un jour le voile enchanteur de ses souvenirs. Sa peur de la foule, de ce brusque déchaînement de violence collective, elle l'a transmise, en tout cas, à son fils et au-delà.

En décidant d'abandonner les siens et de traverser toute l'Europe en train, elle voulait aussi fuir cette menace qui revenait à chaque fête de Pâques en même temps que la grêle et les premières pousses. De Paris, David lui envoyait des lettres d'amour et d'espoir. C'est une ville étonnante, lui écrivait-il, où les policiers te regardent marcher sans t'arrêter, sans même t'injurier. Je la vois parcourir des avenues tirées au cordeau, bordées d'acacias florissants, où elle se promenait un an plus tôt avec son amant, sa lettre glissée dans la poche, en courbant la tête à chaque apparition d'un uniforme. Elle dut forcément faire le siège de l'*ouriadnik*, l'officier de police, pour obtenir son faux passeport couvert de timbres et de cachets en cyrillique. Elle lui glissa, sans doute, d'un geste maladroit, un bakchich prélevé sur ses économies. Mises dans la confidence, ses deux sœurs cadettes qui ne s'appelaient pas encore Katia et Rita, mais Kela et Rouklia, l'accompagnèrent jusqu'à la gare. Avant de monter dans le wagon, elle pleura dans leurs bras, puis disparut dans un compartiment avec son canotier noir et son samovar.

9

Je m'adressai d'abord à la synagogue centrale qui était par hasard accolée à mon hôtel, rue Yevreyskaya, la « rue Juive ». Devant le perron, un kiosque au toit byzantin proposait des « falafels de Jérusalem ». Au moment où je poussai la porte, une nuée d'enfants en sortit avec leurs tsitsit flottant au-dessus du pantalon. L'édifice qui, durant la période communiste, servit tour à tour de cabaret, de musée et enfin de gymnase était en pleine résurrection depuis l'arrivée à la fin des années quatre-vingt-dix d'un rabbin d'Israël. Ce matin-là, le rav Shlomo Baksht était absent. Son assistante me renvoya vers les archives régionales installées depuis 1921 dans un autre lieu de culte, un peu plus bas dans la même artère : la synagogue Brodsky, autrefois célèbre pour ses choristes et ses chazans. David y a-t-il chanté un jour ?

C'est aujourd'hui un bâtiment branlant de style mauresque, recouvert d'un crépi noir pareil à du goudron. Pour ne pas s'écrouler, il repose sur des attelles de bois inclinées. La façade disparaît presque sous son corset protecteur. Le hall de prière n'existe plus. L'ancienne nef abrite une ruche bureaucratique, des dizaines d'alvéoles serrées les unes contre les autres et réparties sur cinq étages. La conversion de cet ancien haut lieu de la vie juive, mentionné dans les *Contes d'Odessa* d'Isaac Babel, en un centre de stockage de documents administratifs, notamment de fichiers d'état civil, témoigne de l'ambivalence de la ville à l'égard de son histoire. Odessa se comporte un peu comme un ordinateur qui ne cesse d'accumuler des données et, dans le même temps, de nettoyer sa carte mémoire.

Je me retrouvai dans une petite cellule éclairée par des néons qui encadraient une fenêtre en ogive, face à un homme blond aux yeux bleus et à l'air las, pendu à un téléphone en bakélite. Sur sa table s'entassaient de vieux classeurs poussiéreux, une croix orthodoxe, un parapheur et un taille-crayon à manivelle qui devait dater d'une époque où il convenait de ne pas gâcher les fournitures de bureau. L'employé me demanda ce que faisait mon arrière-grand-père. D'une voix hésitante, je lui répondis : « Chanteur d'opéra. »

« Ah, c'est bien dommage ! » lâcha-t-il avec la satisfaction du fonctionnaire qui vient de repérer une erreur dans un formulaire. « L'Union soviétique ne conservait pas les dossiers concernant cette profession. » Je n'osai pas lui demander pourquoi le régime communiste tenait à effacer la mémoire de ce corps de métier, *a fortiori* dans une cité célèbre pour ses musiciens. « Et où habitait-il ? » Je n'en savais rien. On disait dans ma famille qu'il appartenait à une famille très religieuse du ghetto. Or, à Odessa, il n'y avait pas de ghetto. Les Juifs pouvaient s'installer n'importe où. Les plus pauvres, ce qui devait être son cas, vivaient à la Moldavanka, un vaste faubourg qui s'étend au nord du grand marché Pryvoz et sert également de cadre aux *Contes* de Babel.

« Le quartier de la Moldavanka ? » Il sembla remarquer mon embarras. « C'est bien, mais c'est grand », ajouta-t-il avec un sourire ironique. Il voulait savoir quand mon aïeul avait émigré. « Pas de chance ! Il manque trois ans. Il est parti juste avant le recensement de 1897. » Je faillis lui dire que je n'étais pas sûr des informations dont je disposais. Que la date de naissance de David, le « 4 mai 1854 », me paraissait douteuse : quarante et un ans, cela semblait bien vieux pour changer de vie. Il pouvait lui aussi avoir menti sur son âge pour échapper à la conscription, mais j'eus peur, en soulevant cette hypothèse devant un représentant de l'autorité, d'aggraver son cas et le mien par la même occasion. J'allais l'interroger sur Enta Fainstein/Hélène Macagon lorsque je compris qu'il perdait patience. Il retira ses lunettes rectangulaires, passa le revers de sa main sur ses yeux fatigués et conclut : « De toute façon, je ne peux rien faire : la salle de lecture est fermée. »

Je fis alors la connaissance de Yulia, une bibliothécaire de l'université d'Odessa. Brune, un air un peu triste, elle m'invita à boire un thé dans le jardin municipal. Les chaises des terrasses étaient matelassées comme au Prater de

Vienne. Un bruit de fontaine se mêlait au murmure des clients. Son contact m'avait été donné par le père d'un ami qui recherchait l'un de ses ancêtres. Elle s'offrit de m'aider. Elle l'avait déjà fait pour d'autres, moyennant une somme modique. Elle s'intéressait au passé juif de la ville et arrondissait ses fins de mois en exploitant un engouement récent du public pour la généalogie.

Elle se voulait rassurante. Il devait bien subsister une trace, quelque part dans les archives. Elle n'avait jamais croisé de Boltanski au cours de ses recherches. « Ce nom ne me dit rien ! En revanche, Boltyanski avec un y est très répandu ! Tout comme Fainstein. » Elle m'assura que les erreurs de translittération du cyrillique en lettres latines étaient fréquentes. Le « té » pouvait bien être un « cha » ou un « tié ». Le fameux son mouillé dont mon grand-père suspectait la présence se cacherait-il, non pas à la fin, mais au milieu de notre patronyme ?

David aurait-il pu être enregistré ailleurs ? À Balta, par exemple, cette localité de l'ouest de l'Ukraine d'où il tirait peut-être son nom ? « C'est possible, poursuivit Yulia. Dans ce cas, il faudra s'adresser aux archives régionales de Khmelnitski. » Pour le retrouver, elle semblait prête à consulter toutes sortes de bases de données, à déplacer des montagnes de paperasses, à fouiller les tréfonds administratifs de la Russie tsariste. Elle ne croyait pas trop, en revanche, à cette histoire de nouveau Chaliapine. Selon elle, David n'aurait pas pu intégrer la troupe de l'opéra du fait de sa religion. Elle arbora sa mine dépitée du début : « Vous êtes sûr qu'il ne se produisait pas plutôt dans un petit théâtre juif ? »

10

Je ne savais pas trop ce que je venais chercher. Était-ce une adresse ? Un immeuble ? Des éléments biographiques ? Des tombes ? Des morts ou des vivants ? Je marchais sans but précis. À l'entrée du quartier de la Moldavanka, un trolley bleu surgit dans un fracas d'essieux. Des visages barbus dessinés au pochoir, vraisemblablement des figures héroïques qui semblaient venir de très loin dans l'histoire du monde, se détachaient d'un mur délabré. Je parcourais de larges avenues désertes. De part et d'autre, les maisons basses paraissaient abandonnées. Des balcons mangés par la vigne. De l'herbe, des gerbes de tournesol au milieu du trottoir, comme si la végétation avait repris le dessus après un cataclysme. Partout, des porches donnant sur des culs-de-sac, des courettes plantées de noisetiers, des jardins entourés de palissades en bois écaillées. Le silence. On n'entendait que le bruit de minuscules feuilles mortes poussées par le vent sur l'asphalte, comme un léger crissement de cigales. Aucune voiture, à part une Jigouli hors d'âge qu'un vieillard tentait de faire démarrer en la poussant sur la chaussée. Pas ou peu de passants. Un type torse nu avec une canette de bière dans chaque main. Deux autres hommes en short à l'haleine chargée d'alcool. Je frissonnai en les croisant. Je me dis qu'à l'époque de mes arrière-grands-parents, ces effluves signalaient la présence d'un ennemi.

En revenant sur mes pas, je fus attiré par un vacarme assourdissant. Dans un garage à clairevoie, des laveurs de voitures à moitié dévêtus, tatoués jusqu'à l'os, dansaient au rythme d'un rap ukrainien effréné autour de Land Cruiser dernier cri. Ils boxaient dans le vide autour de leurs mécaniques d'acier, tressautaient avec leurs lances à incendie, rebondissaient au milieu de flaques blanchâtres. Leurs jets d'eau diffractaient la lumière en explosant dans un halo mousseux contre les carrosseries rutilantes. Un milicien en treillis vert, posté de l'autre côté de la rue, devant un bâtiment officiel, regardait cet opéra techno en faisant craquer des graines de tournesol entre ses dents.

Ma quête tournait court. Je me jetais sur les moindres éléments susceptibles d'étayer les fragments de mémoire parvenus jusqu'à moi. Au marché Pryvoz, je m'extasiais sur des étals d'anguilles, de maquereaux et de harengs fumés. Le soir, assis à la Tavernatta qui était devenue ma cantine, j'enfournais des varenikis en les comparant avec ceux de Mère-Grand. J'essayais de mettre des images, des sons, des odeurs derrière des lambeaux d'histoire.

Dès le premier jour, j'avais couru jusqu'à l'escalier des Géants. Arrivé sur la corniche, je fus déçu. J'ignorais que, d'en haut, de la statue de Richelieu, on ne voit pas ses cent quatre-vingt-douze marches, mais ses dix paliers qui forment une mer étale, couleur d'étain. Le gigantisme de l'ouvrage n'est perceptible que d'en bas, depuis la gare maritime, un empilement de béton qui bouche l'horizon. Je ne découvris la supercherie que trois jours plus tard, lors d'une visite du port. Je compris alors pourquoi Eisenstein avait situé à cet endroit précis l'écrasement de la révolution de 1905. L'escalier représente le pouvoir ou plutôt son illusion. L'échelle paraît presque impossible à gravir pour les petites gens massées à ses pieds. À l'inverse, ceux qui se trouvent au sommet, les nantis, croient contempler une surface plane. La hiérarchie pour le peuple. L'horizontalité, l'égalité pour l'élite. Après avoir vu enfant *Le Cuirassé Potemkine*, j'ai longtemps imaginé que le bébé dévalant la pente dans son landau était mon grand-père, idée parfaitement saugrenue puisqu'il naquit vingt-neuf ans plus tôt, aux Batignolles, de surcroît.

11

Les principaux protagonistes du massacre de la place Kulikovo étaient introuvables. À chaque fois que l'on me citait un nom, on me précisait aussitôt que la personne était en fuite, réfugiée quelque part, le plus souvent à Moscou, ou portée disparue. Probablement morte, assassinée. Pas de trace de l'auteur des premiers coups de feu dans le centre-ville, un gangster local surnommé le « Marin », ou du chef adjoint de la police, un certain Fuchedzhi, soupçonné d'être un de ses complices. Impossible également de rencontrer les hooligans pro-ukrainiens de Tchernomorets Odessa, le club de foot de la ville, montés à l'assaut de la Maison des syndicats. Odessa peut être comparée à une grande lessiveuse. À une immense scène de crime où chacun s'efforce de brouiller les pistes et d'effacer progressivement ses moindres empreintes.

À la veille de mon départ, j'obtins les coordonnées d'un dénommé Alexandre. Au téléphone, il me dit de le retrouver devant l'opéra. Qu'il me donne rendez-vous à un tel endroit, même par commodité, m'amusa. Je vis arriver une baraque d'un mètre quatre-vingt-dix habitué à prendre des coups et, plus encore, à en donner. Patron d'une usine de conserve, il ne sortait jamais sans son casque et sa batte de base-ball. Au cas où, disait-il. « Dès que je reçois une alerte par SMS, je me rends aussitôt à l'emplacement indiqué avec mon matériel. »

Le 2 mai 2014, il avait participé à l'attaque contre les prorusses. Il ne les désignait que sous le sobriquet de « kolorades », les doryphores, à cause de leur ruban orange rayé de noir, les couleurs de l'ordre de Saint-Georges qu'ils portent tous au poignet. Au début des combats, il balança quelques bouteilles incendiaires contre leur barricade dressée sous les colonnes. « Ce bâtiment construit sous Staline, c'est du solide, souligna-t-il. Mais la porte en chêne a fini par prendre feu. » Il affirmait avoir aidé des assiégés à échapper au brasier en les encourageant à sauter dans une bâche. Il jura avoir évacué de grands blessés vers les ambulances. « Mais ceux qui étaient en forme, on les mettait à genoux et on les tabassait. C'est normal. On était en colère. »

12

Il existe une dernière explication au refus de Grand-Papa de connaître Odessa : la peur de ne pas trouver sa place à l'endroit même où ses parents sont nés et ont grandi. De s'y sentir étranger. De se découvrir différent non pas des autres, mais des siens. De mesurer l'étendue de ce qu'ils ne lui ont pas transmis. Tout ce qu'ils ont enfoui au plus profond d'eux ou réussi à oublier. Les piles de pains torsadés derrière les vitrines des boulangeries. Les odeurs d'ail dans les cours. Le couinement du tramway. Le vendeur de journaux à la criée. Les bruits qui s'atténuent lentement, le vendredi après-midi. Toutes ces petites choses qui composaient leur quotidien. Et aussi, ce vertige de ne devoir la vie qu'à l'exil et au hasard. Au fait d'être, justement, d'ailleurs. De savoir que l'assassinat attendait ceux qui sont restés. Dans ses *Récits d'Ellis Island*, Georges Perec écrit qu'il aurait pu être « argentin, australien, anglais ou suédois », mais « dans l'éventail à peu près illimité de ces possibles », une seule chose lui était « précisément interdite : celle de naître dans le pays de [ses] ancêtres, à Lubartow ou à Varsovie, et d'y grandir dans la continuité d'une tradition, d'une langue, d'une communauté ».

13

Un orchestre de klezmer très connu se produisait, comme tous les soirs, à la brasserie Gambrinus. Son répertoire était classique. Après avoir interprété « Près de la mer Noire », la chanson la plus célèbre d'Odessa, le chanteur entonna « Tefillin » en russe et en yiddish. Il termina son récital par un hymne communiste avant d'expliquer, sur le ton de la plaisanterie, à un public clairsemé que ce passé encombrant était tout ce qui lui restait. Puis il se disputa avec les autres musiciens le partage de la recette.

Odessa est une ville juive sans Juifs. En tout cas sans Juifs d'ici. Hormis quelques survivants. De ce passé, il ne subsiste qu'une mentalité, un esprit, un peu comme on parle de revenants. De spectres qui hanteraient un château. Surtout, un humour devenu une marque commerciale, avec son festival annuel et ses histoires drôles répétées en boucle. Un rire, mais d'outre-tombe.

Anna Missuk m'attendait devant le musée de la Littérature où elle travaillait comme conservatrice. Il faisait beau. Elle proposa d'aller dans un jardin mitoyen rempli de sculptures bouffonnes inspirées de romans sur Odessa. « Pour les Odessites, plaisanter, c'est comme respirer », déclara-t-elle devant une statue, placée à l'entrée du square, représentant un « Rabinovitch » – ici, le Juif de la blague s'appelle toujours Rabino-vitch – avec sa casquette vissée sur le crâne, une valise à la main et le regard tourné vers le ciel. D'après un petit écriteau, le Très-Haut est en train de lui dire : « Reste ! Il faut au moins "un" Rabinovitch à Odessa. » Anna Missuk était res-tée. Petite, elle se rendait parfois dans l'unique synagogue encore en activité, reléguée loin du centre-ville. Tous les ans, à l'approche de la Pâque, elle y apportait de la farine pour préparer le pain azyme. Son père, fonctionnaire, membre du Parti, n'osait pas y aller lui-même. Dans la salle de prière, elle croisait quelques fidèles. « Des gens très âgés qui ne craignaient plus rien. » Même si une communauté était en train de renaître, elle parlait de ce monde comme s'il avait disparu. Elle était inquiète. Elle se méfiait à la fois de l'« impérialisme russe » et d'un « nationalisme ukrainien stupide ». Entre les deux maux, elle préférait encore le second. « Poutine nous mène au cimetière », lâcha-t-elle. En partant, je lui tendis ma carte de visite, comme pour réparer un oubli. Elle la lut et déclara sans manifester de curiosité particulière, en même temps qu'elle me serrait la main : « Un de mes parents s'appelle aussi Boltyanski. Il vit à New York. »

14

De retour en France, j'entrepris des démarches administratives pour épauler Yulia dans ses recherches. Avant d'accéder à la salle de lecture des Archives nationales, à Pierrefitte-sur-Seine, on doit déposer ses affaires dans un casier du vestiaire. On se dépouille de tout ce qu'on a, tel un pèlerin à La Mecque, de tout ce qu'on est, de tout ce qui nous sert d'interface avec les autres : manteau, sac, téléphone mobile. Même les stylos sont interdits. Comme s'il fallait faire montre d'humilité, d'abnégation, d'ascétisme avant d'affronter son passé. Coupé du monde et dans un complet dénuement, j'ouvris la chemise grise qui contenait le dossier de naturalisation de mon arrière-grand-père, David Boltanski.

Sa requête datait du 22 novembre 1906. Il s'agissait d'une lettre type écrite à la main et adressée au garde des Sceaux : « Monsieur le Ministre, j'ai l'honneur de vous demander de bien vouloir m'accorder la qualité de Français. » Il habitait alors au 12 *bis*, rue Descombes, toujours dans le 17e arrondissement. Il déclarait encore une fois être né le 4 mai 1854 à Odessa, mais en guise d'extrait de naissance, il n'avait fourni qu'un « acte de notoriété », une déclaration faite par des témoins devant un juge de paix. Sur la fiche de police figurait le nom de son père : Moïse. Suivait un questionnaire :

— *Montant du salaire du postulant ? 350 francs*
— *A-t-il personnellement de la fortune ? Non*
— *Pour quel motif le postulant demande-t-il la naturalisation ? Parce qu'il a tous ses intérêts en France*
— *Quelle est son attitude politique ? Nulle*
— *Paraît-il avoir perdu tout esprit de retour dans son pays ? Oui*
— *Le postulant a-t-il encore ses père et mère ? Non*
— *A-t-il des frères et sœurs ? Non*

La lecture du procès-verbal procurait un sentiment de vide. David Boltanski flottait dans l'espace. Plus rien ne le reliait à sa base de lancement. Plus de contact avec la terre. Plus de famille, hormis celle qu'il venait de créer. Un orphelin. Un nouveau-né. À moins que tout soit faux. Ses réponses pouvaient être uniquement destinées à faciliter l'approbation de son dossier. À la préfecture, on préfère un immigrant libre de toute entrave. Cela facilite l'intégration et écarte le risque d'un regroupement familial.

Je transmis mes maigres découvertes à Yulia. Je pensais que le nom du père de David, Moïse, pouvait lui être utile. Elle me répondit deux semaines plus tard. Un bref courriel rédigé en anglais, notre seule langue commune :

« *Unfortunately I have no more information for you. I looked for Boltansky family in Odessa and Balta documents, but found nothing. Sincerely, Yulia.* »

15

Je n'ai pas connu Niania. Je conserve, en revanche, un vague souvenir de sa sœur, Katia. Chez elle, dans son appartement, derrière Saint-Philippe-du-Roule. Une vision à hauteur d'enfant, au ras de la table basse, de verres épais enchâssés dans une couronne de laiton, posés sur un napperon en dentelle, et, au-dessus, une femme forte, vêtue d'un corsage à jabot, en train de servir un thé bouillant et de demander, en aboyant avec un accent très fort, à ses invités visiblement terrorisés s'ils souhaitaient une rondelle de citron. Sans doute un rêve ou une reconstitution *a posteriori*. Tout comme l'image de son mari, Gaston, en vieillard souffreteux, assis à l'écart dans son fauteuil, rognonnant, entre deux quintes de toux, que j'imagine pareil à Noël Roquevert en officier en retraite, dans le film de Clouzot, *L'assassin habite au 21*.

Quand Christian allait le voir, enfant, sa mère le prévenait : « Attention, c'est l'oncle qui ne sait pas. » Gaston ignorait tout ou presque. Que sa belle-sœur appartenait au Parti communiste français. Que son épouse ne se prénommait pas Katia, mais Kela. Qu'elle fréquentait des églises orthodoxes sans vraiment en connaître les rites. Que la langue gutturale avec laquelle elle et sa sœur conversaient était germanique, mâtinée d'hébreu, et non slave. Que la nourriture qu'il mangeait n'avait pas grand-chose de russe. Ils s'étaient connus dans un hôpital de campagne, durant la Première Guerre mondiale. Elle, infirmière, engagée volontaire comme Niania ; lui, convalescent. Chacun dans leur rôle pour le restant de leurs jours. Il ne se remit jamais de ses blessures. Constamment malade. Mécontent. Un peintre raté qui travaillait comme illustrateur pour les guides Michelin. Un Alsacien réactionnaire et antisémite. Sous l'Occupation, il avait fini par subodorer certaines choses. Depuis, il lui arrivait de dire en serrant les lèvres : « Ma femme est un peu d'origine juive. »

Katia rejoignit sa sœur la première, dans les années 1900. Rita émigra bien après. À Odessa, pendant la guerre civile, elle avait connu la terreur blanche, les pogroms, le blocus, la disette. Leur père serait mort de faim dans ses bras. Elle parvint à fuir la Russie avec un Anglais, un ancien coureur automobile devenu représentant en matériel agricole. Ils occupaient à Brighton une grande maison plongée dans une pénombre perpétuelle. Fauchée et quasi aveugle, elle passait de longs mois Rue-de-Grenelle. Surtout vers la fin de sa vie. Niania la logeait chez elle et l'emmenait à Bourbon-Lancy, une station thermale de Bourgogne. Rita prétendait que les hôtels étaient toujours sales et insistait pour emporter ses draps et ses couverts. En public, elle adoptait des manières excentriques qu'elle confondait avec des marques d'élégance. Une fois, de retour de sa cure, elle glissa une pièce au chauffeur de la micheline : « Fous affez bien kondui. Foilà, fingt centimes ! » Il y eut aussi un étrange visiteur arrivé de Russie, avec un opéra de sa composition, et qui prétendait être un cousin éloigné. Il ne se séparait pas de son *libretto*, même la nuit. Au bout de quinze jours, il annonça : « Je pars pour les États-Unis. Vous allez entendre parler de moi. » Mon grand-père n'eut jamais plus de ses nouvelles.

16

Niania sort toujours habillée de sa cape d'infirmière. Au-dessus de son étoile jaune, elle a accroché sa croix de guerre avec palme, comme si ces deux signes distinctifs s'annulaient. Elle se croit protégée par cette arithmétique sommaire. Un plus, un moins, une valeur absolue égale. En marchant, elle doit réciter dans sa tête les mots codifiés qui accompagnaient la remise de sa décoration comme s'il s'agissait de formules magiques : « A assuré son service courageusement », « n'a pas craint de », « malgré le feu nourri de l'artillerie ennemie », « en particulier à l'hôpital… ». Elle se trompe de guerre. Elle continue de vouer un culte à Philippe Pétain, le « héros de Verdun », et préfère fustiger son entourage, malgré les lois antijuives signées et complétées de sa main afin de les rendre plus rigoureuses encore. Elle adore les militaires. Surtout les galonnés. L'un de ses plus proches amis, Gustave Mantion, est chef de bureau au ministère de la Guerre. Un fonctionnaire, ex-officier, qui sait lire une politique derrière la froideur des textes officiels. Lui et son épouse la supplient de se montrer plus prudente. Ils se disent prêts à la cacher chez eux, au 8, rue de l'Assomption, dans le 16e arrondissement. Elle accepte, mais continue à déambuler dans Paris avec son gri-gri étalé sur la poitrine. Elle n'habite plus Rue-de-Grenelle. Désormais, l'appartement du premier est vide.

SALLE DE BAINS

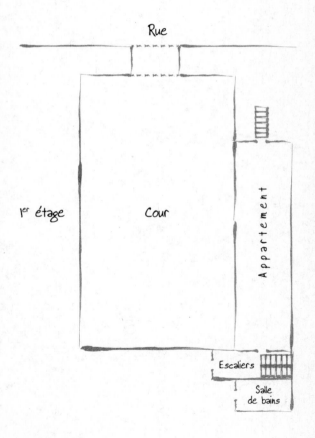

1

Juchée sur un tabouret, elle se mirait en faisant des grimaces. Elle penchait la tête, la tournait dans un sens, dans un autre, haussait les yeux, fronçait les sourcils, étirait sa bouche, avançait ses maxillaires, montrait les dents, gonflait ses joues, rentrait le cou. Elle modifiait constamment l'angle de vue afin de pouvoir se regarder dans sa plénitude. Le miroir étendu au-dessus du lavabo renvoyait d'elle une image fragmentée. Marie-Élise, Myriam ou Annie Lauran était démultipliée par les quatre plaques de verre étamé composant cette glace immense. Chaque panneau, recouvert au dos de fines feuilles métalliques qui dessinaient elles-mêmes des courbes, des formes ondulées, pareilles à des silhouettes féminines, reflétait une portion différente de son anatomie. Les cristaux découpaient son corps en tranches comme pour mieux faire ressortir son démantèlement intérieur, ses membres inertes, ses muscles atrophiés, ses nerfs qui ne répondaient plus. Les ampoules à incandescence, alignées quatre par quatre autour du cadre de bois blanc, jetaient une lumière crue sur la mosaïque de son visage et donnaient à la salle de bains l'apparence d'une loge d'artiste.

Même dans ce lieu censé préserver son intimité, comme en témoignait la présence d'un verrou sur la porte, elle se déshabillait à peine. On apercevait ses avant-bras, sa gorge creusée, parfois, ses épaules osseuses ou le début de ses petits seins dans l'échancrure de son débardeur. Après un débarbouillage rapide au moyen de compresses humides, elle recollait ses morceaux disparates en les badigeonnant de substances gluantes. Elle s'enduisait de poudres, de fond de teint, de mousses, d'émulsions, de lait régénérateur, d'huiles essentielles, d'eau thermale, de spray, de masque d'argile. Rose brillant pour les lèvres, blush bleu appliqué sur les paupières, fard à joues, un trait d'eye-liner au ras des cils, crème autobronzante sur les mains. Elle recourait à une lotion différente pour chaque pièce du puzzle déployé devant elle. Elle ne se lavait pas, elle se grimait, elle s'apprêtait tel un acteur avant d'entrer en scène, elle assemblait les rares parties visibles de sa personne, elle composait un rôle et le tenait, telle une béquille, afin de ne pas tomber.

Paraître. Non pas autre. Comme tout le monde. Refuser ce qui distingue, tout ce qui voue à l'opprobre. Les flétrissures, le fer rouge, les stigmates, la jambe amorphe, le pied bot, le pas claudicant, la taille naine. Effacer jusqu'aux plus petites marques. Ton blafard, craquelures de l'épiderme, sillons cutanés apparus à la commissure des lèvres et sur le méplat du front, pores dilatés, bajoues, poches sous les yeux, pattes-d'oie, affaissement des sourcils, cheveux blancs qui s'obstinent à repousser après chaque teinture. Dès l'apparition des premières rides, au milieu des années soixante, elle se tourna vers la chirurgie esthétique. Elle subit un lifting facial. Comme une star hollywoodienne. Elle se fit retendre la peau, suturer les muscles, restaurer l'arrondi du visage, polir l'angle du cou. Un secret parfaitement gardé. Clinique privée. Opération clandestine. Cicatrices invisibles, passant sous le lobe et remontant dans le pli de l'oreille. Sujet interdit, même par allusion.

2

Elle cherchait moins à retarder son inévitable sénescence ou à retrouver sa jeunesse – retrouver quoi ? l'abandon dont elle avait été la victime ? sa marraine ? sa polio ? la guerre ? – qu'à échapper au temps. Pas de début, pas de fin. Pas de chemin semé d'embûches à parcourir. Elle voulait être sans âge. Un âge ni tendre, ni ingrat, ni vert, ni mûr, ni canonique, mais indéterminé ou absent. Elle aurait aimé flotter dans un état vague. Dans un éternel entre-deux. Compteur bloqué, vol suspendu, chaîne du froid jamais rompue, corps cryogénisé ou bionique. Elle se maquillait pendant des heures pour ressembler à une poupée de cire. Elle vivait dans un présent perpétuel. Elle ne regardait pas en arrière, encore moins en avant. Elle pratiquait l'oubli et évitait de penser à l'avenir. Les rares fois où elle était dans l'attente de quelque chose, une nouvelle, un résultat, une arrivée, elle prévoyait le pire.

Rue-de-Grenelle, on ne fêtait aucun anniversaire, pas plus le sien que celui des autres. « Cela n'enchante que le bienfaiteur, tout ravi de sa bonne mémoire », persiflait-elle. Vœux et cadeaux proscrits. Le jour de naissance de chacun devait demeurer un mystère. Elle qui régnait sur nous tous ne souffrait aucune cérémonie centrée sur sa personne. Elle ne supportait pas les simples mots « née le ». Lorsqu'elle tendait son passeport à une frontière, elle se tordait à moitié pour nous empêcher de lire les chiffres qui suivaient la formule honnie. Je vois encore l'officier, intrigué par ses louvoiements sournois, scrutant ses papiers avec minutie, et moi, pris de panique, craignant d'être arrêté pour fraude. Sur de nombreux documents, elle laissait la case vide ou alors elle mentait. Lentement, elle notait le jour, le mois, puis se ravisait, raturait la feuille, changeait un zéro en deux et se rajeunissait de vingt ans. Elle préférait se priver d'une rémunération, même importante, d'un remboursement par la Sécurité sociale, d'une carte de réduction de type Vermeil ou d'un livret de la Caisse d'épargne, plutôt que d'avoir à révéler son âge.

Refusant tout ce qui marquait le passage des années, ma grand-mère avait fini par étendre cet interdit à toute forme de commémoration. Elle détestait les festivités imposées à date fixe. Les réjouissances obligatoires, la liesse populaire sur commande, les baisers donnés au coup de sifflet. En vieillissant, son dégoût des joies collectives s'étendit même au jour de Noël qu'elle célébrait autrefois, à une époque que je n'ai pas connue, avec faste et générosité. À l'approche du réveillon, elle se bouchait les yeux et les oreilles. Elle attendait que ça passe. Elle boudait la télévision dégoulinante de guirlandes, de confettis et de bonheur factice. Elle évitait de passer devant les vitrines clinquantes des grands magasins, pestait contre l'apparition, un peu plus tôt chaque année, de flocons lumineux et de sapins blancs dans les rues, et, au moment où la France ripaillait, se barricadait chez elle ou partait se réfugier au cinéma, dans des salles obscures et vides. Une fois, un 24 décembre, Christian l'emmena dîner dans un restaurant kasher.

3

Elle n'avait pas la nostalgie du passé et se défiait des souvenirs. Est-ce la raison pour laquelle il existe si peu d'images d'elle ? À part une photo que j'ai retrouvée par hasard dans *La machine a fait tilt*, coincée entre deux pages non découpées, comme si on avait voulu la cacher. Au revers, écrit au stylo Bic, certainement pas par elle, une date : 1976.

Elle est assise. Vêtue d'une chemise canadienne rouge à gros carreaux, aux manches retroussées. Ses cheveux bruns sont coupés à hauteur des épaules. Conséquence d'un flash trop puissant ou d'un abus de la crème autobronzante ? Sa peau est orangée. Devant l'objectif, elle ferme les paupières, manifestant ainsi son refus de poser, de se prêter à cette répétition de la mort, d'offrir ce regard fixe semblable à celui d'un cadavre apprêté pour une veillée funèbre, de montrer ce qui a été et ce qui n'est plus, de faire bonne figure, sachant que cette figure-là restera quand tout aura disparu. Mais son attitude de résistance face à la caméra, exprimée par ses yeux clos, est corrigée par un beau sourire, un mouvement léger de la bouche qui lui donne un petit air mutin et révèle son plaisir d'être observée, de se retrouver une fois de plus au centre de l'attention.

4

Elle était coquette. Elle prenait grand soin de son apparence. En particulier de ses cheveux qu'elle teignait en châtain foncé et portait taillés en forme d'œuf de poule, avec un léger dégradé autour de la nuque. Pour éviter d'avoir à sortir, elle transforma son palais des glaces en salon de coiffure. Comme à son habitude, elle confia les travaux à M. Bondu, un homme un peu trop porté sur l'alcool qui maniait toutes sortes d'outils tranchants et devait, des années plus tard, mourir d'un coup de couteau administré par son fils unique au cours d'un repas de famille. C'est lui qui posa le carrelage bleu et installa la glace. Un coiffeur professionnel venait une fois par mois, de préférence le samedi, lui refaire sa coupe et sa couleur.

Mère-Grand prenait place sur un siège à bascule, sa tête penchée en arrière, au-dessus d'une cuvette en U qui évacuait par paquets une eau marronnasse dans la baignoire. Sa tête disparaissait ensuite sous un casque séchoir à air chaud semblable à ceux qui équipaient les salons de l'époque. Bruit de ventilateur, odeur de chien mouillé, cavités nasales et bouche pincée dépassant du heaume, femme machine statufiée pendant des heures. Une fois ses cheveux bien secs et ses reflets auburn retrouvés, elle s'abandonnait à une paire de ciseaux effilés, avant de s'asperger d'une laque conditionnée en brumisateur qui fit la fortune d'un grand groupe français de cosmétique.

5

La toilette était pour elle et, par extension, pour nous tous, non pas une affaire de propreté, mais de dissimulation. Un peu comme à la cour de Versailles, les produits de beauté lui servaient essentiellement à masquer de mauvaises odeurs. Elle évitait la baignoire, ce briseur du col du fémur, et, comme on l'a vu, ne se dévêtait que très partiellement. Elle n'était jamais vraiment seule. Un nettoyage approfondi aurait nécessité des gesticulations périlleuses et une nudité qui l'intimidait devant ses enfants.

Plus généralement, l'eau faisait peur. Elle était jugée dangereuse. « Attention, elle est glacée ! » « Attention, elle est bouillante ! » « Attention, elle déborde ! » Elle ne pouvait être que trop chaude ou trop froide, comme si le robinet mélangeur n'existait pas. Sous sa forme cubique et stagnante, elle évoquait des choses horribles : noyade, brûlure, inondation, angine de poitrine, infection pulmonaire ou cave de la Gestapo. Au réveil, Jean-Élie m'apportait un café noir qu'il réchauffait sur un petit réchaud posé au fond de la pièce. Lorsqu'il me venait l'idée saugrenue de me laver, il me suppliait de ne rien ingurgiter avant d'être sorti de l'eau, par crainte d'une hydrocution. Rien, pas même ce breuvage sucré qui tiédissait dans sa tasse. Mon oncle croyait encore à la rumeur qui liait ce choc thermique à l'activité digestive la plus élémentaire.

Le froid polaire qui persistait longtemps après le rallumage de la chaudière n'incitait pas à de longues ablutions. La salle de bains ne se prêtait pas davantage à des occupations intimes. Je ne pouvais pas feuilleter tranquillement les pages lingerie du catalogue de La Redoute sans que l'on cogne aussitôt à la porte. C'était un lieu de passage, un courant d'air que ma grand-mère empruntait en chaloupant du bassin et en jouant des pinces à chaque fois qu'elle quittait ou retrouvait sa chambre. Notre extrême promiscuité s'accompagnait de beaucoup de pudeur. Ces corps qui s'effleuraient devaient s'ignorer. Ils ne se donnaient pas en spectacle. Pour toutes ces raisons, la Rue-de-Grenelle n'avait pas été gagnée, malgré sa vocation médicale, par ce grand principe de salubrité publique qui consiste à consacrer tous les jours un peu de temps à son hygiène corporelle. Christian n'a jamais vu ses parents prendre un bain et prétend avoir attendu lui-même l'âge adulte avant de procéder à un toilettage complet de sa personne. « C'était une douche », précise-t-il.

6

Nous étions sales. Moi le premier. Ongles noirs à moitié rongés. Traînée bleue laissée par un stylo plume de la marque Sheaffer sur le tranchant de ma main gauche, celle avec laquelle j'écris. Tignasse longue et crasseuse, des cheveux bouclés pleins de nœuds que ma seconde grand-mère, très exigeante sur la propreté à la différence de la première, attaquait avec un démêloir, sorte de râteau de poche qui labourait le cuir chevelu. La mode de l'époque n'arrangeait rien. Pattes d'eph effrangées. Manteau afghan sentant encore la bête. Parka verte avec une capuche garnie d'une fausse fourrure que je m'amusais à arracher par touffes. Des vêtements que je remettais jour après jour par un mélange de négligence et de superstition. Un T-shirt, notamment, à larges rayures orange et blanches censé me porter chance. Paire de Clarks fatiguées, transformées en écrasemerdes. Chaussettes Tati qui dégageaient très vite une odeur de gaz de ville (un jour, mes parents, croyant à une fuite, composèrent un numéro de secours et virent débarquer toute une escouade de pompiers avec camion rouge, échelle télescopique, pompes à incendie et haches).

En sixième, le prof de maths, un homme sec à la silhouette d'échassier, sous je ne sais quel prétexte, confisqua mon cartable, un sac à dos de l'armée américaine acheté dans un surplus, derrière la gare Montparnasse, et recouvert de divers gribouillages dont, bien sûr, l'inévitable symbole de la paix, un cercle tracé d'une main maladroite, traversé d'une barre centrale et d'un v inversé. D'un air dégoûté, il brandit son trophée devant la classe, le retourna en le secouant et le lâcha. Les sangles n'étaient pas attachées. La besace et son contenu se répandirent sur son bureau. Assis derrière ma table, j'assistai, sous les regards narquois de mes camarades, à la chute de cette bosse kaki qui ne me quittait pas entre deux cours, à l'étripage de cette excroissance flasque de moi-même, à mon propre effondrement. Au milieu de manuels écornés, de livres à la couverture déchirée, de feuilles volantes, de boules de papier et de la dépouille de l'US Army, surnageaient quelques Kleenex usagés, des pelures de clémentine séchées et rabougries, des stylos fuyants à l'embout mâchouillé et des miettes de biscuit. Spectacle qui, ajouté à ma tenue, me valut pendant mes deux premières années au collège le surnom de « Clodo ».

7

En tant qu'ancien vice-président de l'Union internationale d'hygiène et de médecine scolaire et universitaire, Grand-Papa avait théorisé ce laisser-aller général : « Dans un monde propre, il faut être sale, répétait-il. Les bactéries nous protègent. » Ne pas se laver était, selon lui, un moyen de renforcer nos défenses. Il pensait certainement au seul micro-organisme qui avait frappé cette maison : la polio.

Les premières campagnes de lutte contre le virus, au début du XXᵉ siècle, encourageaient la population à désinfecter les cuvettes des cabinets et les murs des toilettes, à obliger les enfants à se laver constamment les mains, à veiller à ce que tout soit d'une propreté immaculée. Dans certaines villes américaines, lors de l'épidémie de 1916, les femmes de ménage de couleur étaient interdites d'entrée dans les quartiers blancs. Pour tous, le vecteur du mal ne pouvait être que la misère, la crasse, la pollution, le surpeuplement, l'insuffisance des installations sanitaires. Quand, à trente-neuf ans, Franklin Delano Roosevelt, le futur président des États-Unis, fut touché à son tour dans une île proche de la frontière canadienne, la perception de la maladie commença à changer. Ce n'était ni un enfant en bas âge, ni un pauvre immigré, mais un homme vigoureux appartenant à une famille aisée.

Les médecins découvrirent que le taux de propagation de la poliomyélite était inversement proportionnel à celui de la mortalité infantile. Les épidémies se multipliaient à mesure que les conditions sanitaires, l'éducation, le niveau de vie progressaient. La polio était, en réalité, une maladie des classes moyennes, d'une population obsédée par l'hygiène. Un fléau frappant surtout des pays industrialisés ouverts sur le monde. Plus les parents protégeaient leurs enfants de la saleté, moins ils développaient leur système immunitaire et plus ils les exposaient au virus à l'âge de la scolarité.

<h2 style="text-align:center">8</h2>

Dans la maison de Désertines, le « château » où je passais mes vacances, il n'y avait pas de salle de bains. Il existait bien une pièce à l'étage, glaciale, traversée par un courant d'air à cause d'un carreau cassé, aux murs écaillés, qui devait assurer cette fonction un siècle plus tôt, comme en témoignait la présence d'une table en marbre blanc, pourvue d'une vasque et d'un broc en faïence. Un meuble laissé à l'abandon, jamais relié à aucune canalisation, couvert de suie, de toiles d'araignée. Pour qu'il retrouve son usage initial, il aurait fallu des bassines montées à bout de bras depuis la cuisine et, si possible, de l'eau chaude, portée à 45 °C ou davantage pour compenser le froid ambiant, et donc un poêle en état de marche ou une flambée dans la grande cheminée, des va-et-vient d'un bout à l'autre de la vieille demeure, toute une organisation, incluant une importante domesticité, qui faisait défaut.

Une pompe à bras, située à la lisière du jardin potager, permettait d'extraire une eau glacée d'un puits. L'été, quand il faisait beau, on installait des paravents autour de la fontaine en fonte et on se douchait avec un arrosoir, en poussant des cris d'oiseau, les pieds sautillant dans la boue argileuse. Le soleil était rare. La toilette encore plus. Pour faire ses besoins, il fallait sortir, le plus souvent dans la pluie et le vent. Une hutte en bois de l'autre côté du terre-plein, en face du perron, servait de latrines. Un endroit terrifiant pour un enfant, sombre même en plein jour, étroit, empli de mouches et dégageant une curieuse odeur de matières fécales mêlée à des relents de compost, de plantes putréfiées. Le siège se composait d'une planche percée d'un grand trou noir où voletaient des lambeaux de papier journal. Parfois, on trouvait dans la cahute des revues porno, abandonnées après usage par des jeunes du coin.

Myriam détestait sa terre d'adoption, ce pays où elle ne cessait de grelotter, ce jardin immense qu'elle ne pouvait pas parcourir, ce manoir qui aurait pu servir de décor à un film d'horreur. Désertines lui rappelait ses vacances solitaires, sa vie d'orpheline et d'héritière, le mépris qu'elle devinait, petite, derrière les marques de déférence, les regards qui lui disaient qu'elle n'était pas de là et ne méritait pas cette maison, encore moins les cent hectares et les huit fermes qui allaient avec. Pour se venger, elle avait laissé le lieu dans l'état où elle l'avait reçu. Depuis le décès de sa testatrice, elle n'avait touché à rien, n'avait procédé à aucun aménagement. Ni chauffage ni sanitaires. Même papier peint, même disposition du mobilier. La marraine avait été comme emmurée. On cherchait vainement sa momie dans sa chambre transformée en caveau, au premier étage. On distinguait presque l'empreinte laissée par son corps sur l'étoffe moisie qui recouvrait le lit en acajou. Dans un coin de la pièce reposait un métier à filer, un rouet, où toute la maisonnée avait dû se piquer avant de tomber dans un sommeil éternel.

L'eau eut raison de cette bâtisse sans plomberie. Un trou dans le toit jamais réparé. Une ardoise arrachée sur le rampant le plus exposé au vent d'ouest. Des infiltrations continuelles. Des pluies battantes plusieurs hivers d'affilée. Les poutres attaquées par des microchampignons. Bois devenu noirâtre et mou. Pourriture qui gagne le reste de l'édifice par capillarité. Cloquage, bombement des plâtres. Corrosion des ferronneries. Joints entre les briques qui tombent en poussière. Lente fermentation des tapis, des rideaux, des grands livres aux couvertures rouges, illustrés par Gustave Doré. Les premiers craquements. La charpente qui s'effondre, suivie par une partie de la façade. Ultime revanche, ma grand-mère, dans les dernières années de sa vie, laissa Désertines péricliter. La prison de son enfance ne devait pas lui survivre. Des cambriolages en série la dépouillèrent de ses quelques meubles épargnés par les eaux. Il ne resta rien. La maison fut vendue au prix du terrain.

Rue-de-Grenelle, le sol de la salle de bains
s'écroula également, un après-midi de l'année
1965. Il avait pourri, certainement pas à cause
d'un usage intensif des lieux. Je penche plutôt
pour l'hypothèse d'une fuite non décelée. Il y
aurait pu avoir mort d'homme. La maçonnerie
et la baignoire qui reposait dessus se fracassèrent
dans la salle d'examen. Une avalanche de gravats tomba sur la table métallique où un patient
était allongé quelques instants plus tôt. Comme
si cette maison voulait, elle aussi, être auscultée.
Un trou béant traversait ce grand corps malade
et reliait les deux salles qui lui étaient justement
consacrées. Santé et beauté en ruine. Il fallut
poser de nouvelles solives. Déblayer, cimenter,
replâtrer, étaler de l'enduit, donner un rapide
coup de peinture. Des réparations à l'économie
effectuées sans doute par M. Bondu.

10

Contrairement aux êtres vivants, à moins de
croire à la métempsycose, les lieux peuvent mourir et renaître sous une autre forme. Un jour,
l'hôtel particulier de la rue de Grenelle sera
racheté tout entier par un oligarque russe, un

prince qatari ou une star du CAC 40. Dans un premier temps, on le désossera complètement, seule la façade sera conservée. Pendant des mois, des ouvriers casqués évolueront dans l'immeuble mis à nu, éclairé, çà et là, par des étincelles de fer à souder. La carcasse résonnera de coups de marteau et de sifflements de perceuse. Des pelles mécaniques feront trembler les fondations en fouillant le sol. Des bétonnières vomiront des milliers de mètres cubes de mortier. Et, bien plus tard, le salon abritera une piscine chauffée, remplie d'une eau légèrement salée, orientée face à la rotonde. Les autres pièces en enfilade, de part et d'autre du patio central, retrouveront leur fonction déambulatoire. Des tableaux de maître, achetés chez Christie's, orneront les murs. Un Rothko trônera dans l'ancienne salle à manger, là où pendait la toile guerrière de mon oncle. La cave sera remplacée par un parking à deux niveaux, accessible par une rampe oblique débouchant au milieu de la cour. Au lieu des radiateurs en fonte, le chauffage se diffusera par le sol composé, au rez-de-chaussée, d'une chape anhydrite et, par-dessus, de grandes pierres de Jérusalem aux reflets gris ou roses, suivant l'intensité de la lumière. Au premier, on privilégiera un parquet en teck brun foncé. Un ascenseur de verre reliera les cinq étages.

Pour pouvoir installer un jacuzzi, les repreneurs voudront agrandir la salle de bains, gagner en volume et en lumière, comme on dit dans les agences immobilières. Plus concrètement : abattre des cloisons, cette étape désormais inévitable de toute rénovation intérieure. Mais leur projet butera sur deux obstacles. Ils se heurteront, sur le côté non porteur, à la cage d'escalier déjà réduite par le futur ascenseur et, au fond de la pièce, à une autre marche. Une marche de géant, cette fois. Plus d'un mètre de dénivelé avec le reste de l'étage. À cela, une explication fort simple : la hauteur sous plafond est plus élevée dans la partie médiane de l'hôtel construite sans doute à la fin du XVIIe siècle que dans ses ailes latérales, postérieures d'au moins cent ans. Qu'importe. L'architecte étudiera une fois de plus ses plans et découvrira quelque chose de curieux : un faux plancher, une poche, sous un espace intermédiaire compris entre le cabinet de toilette et ce qui était autrefois la chambre à coucher de mes grands-parents.

ENTRE-DEUX

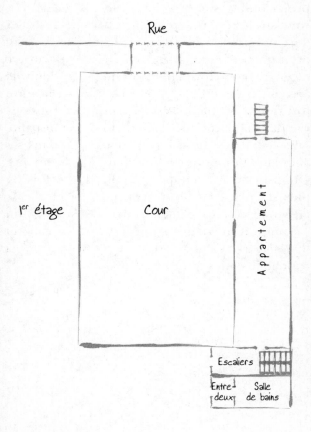

Rue

1er étage

Cour

Appartement

Escaliers

Entre-deux

Salle de bains

1

En guise de cabinet intime, il disposait d'un recoin obscur, dépourvu de lumière naturelle, à peine éclairé par une petite lampe de chevet, encombré de paperasses, de vêtements, de bibelots. Un cagibi, un fourre-tout, coincé entre la salle de bains et la chambre, où il ne pouvait même pas être tranquille, sauf aux premières heures du matin. Une niche pourvue de deux ouvertures qu'il regagnait quand les autres dormaient. Un bocal aussi étroit et étouffant qu'un compartiment de la SNCF. Juste la place pour une table, une penderie, des étagères branlantes. Pas de siège, pas de décorum. Une porte à deux battants toujours ouverte. À peine une pièce. Plutôt un chemin. Un hiatus qui ne ressemblait à rien. Trop petit pour un vestibule, trop large pour un couloir, trop grand pour un dressing. Il devait probablement son existence à un défaut de construction ou à un quelconque rafistolage afin de joindre les deux corps d'immeuble. Était-ce un édicule ? Une chapelle ? Un passage ?

Cette anomalie architecturale ne correspondait à aucun des termes habituels du lexique immobilier. Le nombril de la Rue-de-Grenelle ne pouvait cependant pas rester sans nom. Du fait de sa position géographique et faute de mieux, on l'appelait l'entre-deux.

Difficile de trouver un ermitage moins propice à la solitude et au recueillement. Il ne s'en plaignait pas. Son territoire avait beau être sombre, exigu, et surtout violé, piétiné par tout le monde, il l'aimait. C'était même le seul endroit où il se sentait vraiment à l'aise. Il m'arrivait de le surprendre à l'aube, debout, en robe de chambre, plongé dans son gourbi, farfouillant, lisant, murmurant, les lèvres balbutiantes, le doigt posé entre deux pages. Comme dans une chambre des merveilles, il y entreposait ses biens les plus précieux. Ses dossiers, classés dans un vieux cartonnier, par maladies, suivant l'ordre alphabétique. C pour calcul biliaire. G pour gastrite. H pour hépatite. U pour ulcère. Ses complets-vestons, suspendus à l'air libre, certains avec ruban et rosette, d'autres sans. Ses conférences au Collège de médecine rédigées d'une écriture claire et menue au dos – afin de ne pas gâcher – de feuilles déjà gribouillées de noir, généralement ses vieux cours de l'année précédente, parfois tout froissés, jetés par mégarde, qu'il avait dû repêcher dans la poubelle. Sa collection de papiers d'orange, sa seule marotte héritée d'une première vie modeste, vieux emballages ridés, frappés de cercles labyrinthiques pareils à des mandalas indiens. Et aussi, bien sûr, ses bondieuseries. Son autel secret. Icône, vierge miraculeuse, crucifix en bois, images pieuses annotées de sa main, des pattes de mouche illisibles cette fois, bible, missels, vies de saints, manuels de piété, cornés, hérissés de marque-pages, relus, commentés inlassablement, comme, de nos jours, on consulte sa tablette électronique.

2

Sur le plateau du Cluedo, je viens d'atteindre la case qui lui correspond. Il ne me reste plus qu'à découvrir l'arme du crime. Les indices abondent. Empreintes nombreuses, témoignages concordants, profil adapté. Dans cet interstice, il se retrouvait et se rassemblait. Il y entrait en mille morceaux et en ressortait mal ficelé mais d'un seul tenant. Il parvenait enfin à réaliser l'unité de son moi. La pièce lui servait d'espace transitionnel entre le dedans et le dehors, entre son for intérieur et la réalité, entre les récits imaginaires de sa mère, son identité bourrée de ratures, d'erreurs, de blancs, d'omissions, et la société qu'il cherchait par tous les moyens à intégrer. Il tanguait lui aussi entre deux mondes, entre un passé vide et un présent saturé. Il était perdu. Il avançait dans la vie tel un somnambule, à équidistance de l'éveil et du sommeil. L'entre-deux représentait bien plus qu'une aire intermédiaire entre sa chambre et la salle de bains. C'était son mode d'être.

3

Mon grand-père s'est converti. Au cours de sa trente et unième année. Dans la force de l'âge. Il ne s'agit donc pas d'une erreur de jeunesse ni du pari pascalien à l'approche de la mort. Encore célibataire, promis à une belle carrière, dans une France insouciante et festive, celle des années folles, il n'était pas mû par un intérêt ou des circonstances. Aucun mariage à l'église en vue, ni de menace particulière. Du moins, pas encore. Un monde pacifique et prospère semblait s'ouvrir à lui. Rien ne l'obligeait à accomplir un tel acte. On ne peut même pas invoquer l'action de forces surnaturelles. Une lumière vive qui l'aurait frappé sur un sentier rocailleux menant à Damas. Une apparition au sommet d'une colline de Bosnie-Herzégovine. Son cœur ne fut pas touché brutalement par la grâce derrière un pilier de Notre-Dame. Il ne retrouva pas non plus quelque chose d'enfoui en lui, comme une petite graine conservée dans l'obscurité qui attend un rayon de soleil pour germer.

Sa démarche était voulue, sincère, réfléchie. Étant non-croyant et dénué de toute culture religieuse, j'ai du mal à la comprendre, plus encore à en parler. Je ressens même une gêne à aborder ce sujet qui m'évoque aussitôt, par un mélange d'ignorance et d'effroi, des volutes d'encens, des prières scandées d'une voix monocorde, comme des formules magiques, des corps tordus, prosternés, des bouches et des mains collées à des chapelets, à des croix, tout un fatras mystérieux et charnel qui devrait m'émouvoir et dont je ne perçois que le ridicule. Il y a aussi de la honte. Né juif, Étienne Boltanski devint catholique. Abandonner sa foi, donc ses frères, s'apparente à une trahison. Circonstance aggravante : il déserta à la veille du pire, comme s'il en avait eu le pressentiment, pour rallier le camp adverse, une Église en guerre contre les siens toujours considérés comme tueurs de Dieu. Lui, un lâche ? Un renégat ? Reproche injuste qui fait fi du contexte de l'époque, du traumatisme de toute une génération de parias, d'immigrés fuyant les persécutions, ayant tout laissé derrière eux, y compris leur ombre, pour se fondre dans leur nouveau pays d'accueil.

Il ne changea pas de religion, il en adopta une. Dans ce domaine, il partait de zéro. Son appartenance au judaïsme tenait à une absence, un prépuce manquant, symbole de l'alliance de son peuple avec le Très-Haut. Il ne pratiquait aucun culte. Il n'était sans doute jamais entré dans une synagogue, sinon au huitième jour de sa naissance, pour sa *brit milah*. Il ignorait tout de la Loi de ses ancêtres, de leurs traditions, de leurs rituels. Il était juif, conscient de l'être depuis la révélation de sa mère, avenue de Villiers, désigné comme tel par des billets anonymes, des réflexions désobligeantes et des regards entendus. Lui-même ne s'en cachait pas. Il l'assumait sans la moindre hésitation. Il n'en tirait ni orgueil ni honte. Jamais, il n'envisagea de modifier son nom. Mais cette identité qui s'imposait à lui était creuse. Elle ne renvoyait à rien. Ses parents avaient coupé tous les fils qui les rattachaient à leur communauté d'origine.

4

J'ignore quel était son état d'esprit lorsqu'il passa de l'incrédulité à la foi. Sa quête spirituelle fut-elle brutale ou progressive ? A-t-il ressenti une impulsion physique ? Un manque ? Un vide impossible à combler ? Quelque chose d'irrépressible à l'intérieur de lui ? Je sais juste qu'il souffrait. Selon Jean-Élie, son fils aîné, « il était très, très mal ». Il tomba dans un désespoir sans fond. Peut-être même pensa-t-il à mourir.

Outre sa difficulté à se situer, à son déracinement s'ajoutait une autre douleur plus récente. Un mal-être qui remontait aux tranchées, à cette effroyable boucherie dont il avait été, en tant que médecin appelé à sauver des vies, le témoin largement impuissant. Aujourd'hui, on parlerait d'un syndrome de stress post-traumatique. Les séquelles psychologiques des anciens combattants sont bien connues : extrême nervosité, repli sur soi, difficulté à communiquer, sentiment d'être incompris par son entourage, culpabilité du survivant, impression constante de danger, peur d'avoir peur.

De son passé de soldat, il gardait un immense dégoût. Il savait maintenant de quoi l'homme était capable. Il se défiait d'une civilisation prête à employer contre elle-même du gaz moutarde et des obusiers de 420 mm. Par ses horreurs et son absurdité, la guerre avait surtout entamé la seule croyance que ses parents lui avaient léguée. Il restait patriote, mais son amour pour la France n'était plus aussi aveugle qu'auparavant. Comment ne pas douter d'une République qui vient d'envoyer près d'un million et demi de ses enfants à l'abattoir ? Même la science était devenue suspecte. Sa curiosité déviait vers d'autres horizons, comme l'inconscient, le rêve, le merveilleux, l'au-delà. Il aurait pu suivre les pas de ses anciens camarades de classe, André Breton et Théodore Fraenkel. Il opta pour une autre chapelle. Au lieu d'un dictionnaire, c'est la Bible qu'il allait ouvrir au hasard.

Avant de se décider, il chercha, il tâtonna, il frappa à d'autres portes. Il interrogea dans un premier temps un rabbin et, déçu par ses réponses, les jugeant trop compliquées, alla voir ailleurs. Assez logiquement, il se tourna vers la concurrence. Elle présentait de nombreux avantages. Pour l'agnostique qu'il était, elle se montrait de prime abord moins exigeante, plus ouverte. Elle étanchait, surtout, sa soif d'assimilation. En entrant dans l'Église, il choisissait encore une fois la France, sa fille aînée.

Il n'est pas non plus surprenant qu'il soit tombé sous la griffe de l'abbé Altermann. Dans les années vingt et trente, cet ecclésiastique faisait fonction de convertisseur universel. Il transformait n'importe quelle devise en monnaie apostolique et romaine. Il officiait au couvent des bénédictines de la rue Monsieur, à Paris, un refuge pour de nombreux intellectuels en quête d'absolu, inauguré, deux décennies plus tôt, par Huysmans. Grand-Papa était une proie facile. Le prêtre lui expliqua que le christianisme, loin de s'opposer au culte de ses aïeux, en était l'achèvement, la forme à la fois la plus fidèle et la plus aboutie. Il lui dit en substance : « En devenant catholique, vous serez un israélite parfait. » Argumentaire spécieux, mais classique, qu'il avait eu maintes fois l'occasion de peaufiner. Issu lui-même de parents juifs émigrés de Russie, Jean-Pierre Altermann braconnait en priorité sur ses anciennes terres.

Son tableau de chasse comprenait l'actrice Suzanne Bing, le philosophe Gabriel Marcel, l'essayiste René Schwob et bien d'autres. Ce personnage austère et sentencieux était proche de Jacques Maritain qui avait effectué un retour à la foi quelques années plus tôt avec son épouse Raïssa, autre Odessite. Dans ses lettres au philosophe thomiste, il manifestait à chacune de ses nouvelles conquêtes l'enthousiasme d'un maître espion britannique qui vient de réussir à faire passer à l'Ouest un transfuge du KGB. « Une des âmes qui ont ainsi reçu cette grâce divine, dont je vous assure que je ne suis que le témoin émerveillé, m'a prié de vous apprendre son bonheur. C'est Charles Du Bos, lui écrit-il. Et vous savez de quel prix nous paraissait sa conversion. » L'un de ses « dirigés », François Mauriac, qui finira par se délivrer de son emprise, déclarera bien plus tard : « Ses convertis ne se comptaient plus, mais lui, il les comptait. »

La cérémonie à laquelle il se prêta est généralement comparée à une nouvelle naissance. Elle équivalait aussi à un enterrement. Le 24 décembre 1927, veille de Noël, dans la chapelle de la rue Monsieur, il dut abjurer publiquement la religion de ses pères. Je l'imagine debout, devant la masse des fidèles, face au prêtre vêtu d'une aube blanche et d'une étole brodée d'or, prononçant de sa voix douce la formule rituelle qui restera en vigueur jusqu'au concile de Vatican II : « Ayant reconnu que, hors de la véritable Église, il n'y a point de salut, je fais profession de la religion catholique, apostolique et romaine, et renonce entre vos mains aux erreurs des Juifs. »

6

On se tromperait à ne voir dans son acte qu'une conséquence de la haine de soi si commune à une partie de l'intelligentsia juive de cette période. Il ne le vivait pas comme un reniement, mais, plutôt, comme une autre façon de se revendiquer juif et français. Comme un moyen de mettre un peu d'ordre dans son tohu-bohu intérieur et même de renouer avec ses racines. À travers les Écritures, il découvrait le sacrifice d'Abraham, la sortie d'Égypte, le jugement de Salomon, tout un univers dont il avait été privé.

Il était aussi un homme pieux. Lorsqu'il ne travaillait pas, il lisait la Bible ou de grands noms de la littérature spirituelle. Comme saint François de Sales, un prédicateur de la Contre-Réforme. Son *Introduction à la vie dévote*, avec ses conseils frappés au coin du bon sens et son ton débonnaire, lui servait de guide de tous les instants. Il le compulsait un peu comme ses revues médicales, avec un stylo-bille et une feuille pour noter. Il y mettait le même sérieux, la même attention, la même volonté d'apprendre. Il passait ses journées penché sur ses vieux grimoires, il en soupesait chaque mot, à la recherche d'antiques secrets, un peu comme un craignant-Dieu étudiant la Torah. Il portait au fond de son cœur le même mépris du monde. Il menait lui aussi une existence de mendiant. Il n'avait rien, il n'était attaché à rien. Il vivait dans la terreur de mal agir, de commettre une faute professionnelle, de blesser quelqu'un. Chacune des réponses qu'il trouvait le conduisait à de nouvelles questions. Sa foi était taraudée par le doute et emplie de ferveur. Ses éclats de joie comportaient toujours un fond de gravité. Il aurait fait un très bon *tsaddik*, un juste parmi les justes.

Cet individu n'était pas très catholique. Je le soupçonne même de s'être inventé une cosmogonie personnelle. Était-ce parce qu'il en saisissait toute l'originalité ? Sa pratique religieuse demeurait furtive. Il s'en cachait presque. Je n'ai pas le souvenir de l'avoir vu agenouillé, les mains jointes, la tête penchée. Ses prières prononcées avant l'aube se réduisaient à de légers bourdonnements. Il ne s'adressait jamais au divin d'une manière ostentatoire. Il préférait le contempler du dedans. Comme un mystique. Sa bigoterie ne se donnait pas à voir. C'était un plaisir solitaire. Il se rendait rarement à la messe, fréquentait encore moins le confessionnal. Le plus souvent, il restait sur le parvis, calfeutré dans la Fiat avec son épouse infirme. Préférait-il l'étude au sermon ? Ou se sentait-il indigne d'être reçu dans la bâtisse du Seigneur ? Ce juif sans Dieu était-il devenu un catholique sans Église ?

Malgré tous ses efforts, il n'était pas parvenu à quitter son entre-deux. Il aurait voulu intégrer une France éternelle et chrétienne. Il tapait à la porte d'une maison qui ne voulait pas de lui.

7

Au regard de l'occupant, comme du gouvernement de Vichy, son certificat de baptême n'a aucune valeur. « Il ne change rien à la question raciale, pas plus qu'il ne changerait en Aryen un Nègre cent fois baptisé », écrit un médecin membre de l'Institut d'étude des questions juives, une officine créée par la Gestapo à des fins de propagande. Petit à petit, une avalanche de textes le dépouille de tout ce qu'il est devenu pour ne lui laisser qu'un mot composé de quatre lettres affiché sur son poitrail. Une succession effrénée d'ordonnances allemandes et de lois françaises rivalisant de rigueur organise sa mort sociale, préalable à sa disparition future.

Pourquoi est-il revenu à Paris ? Fin mai 1940, il se trouve en permission à Désertines. Au chevet de Jean-Élie, atteint par un début de tuberculose, et auprès de Luc qui vient de naître. À l'annonce de la débâcle, il décide de rejoindre au plus vite son corps au volant de sa Hotchkiss. Il sait qu'en cas d'évacuation, l'hôpital militaire de Percy auquel il est rattaché doit se replier près de Royan. L'histoire ne dit pas comment il parvient à traverser avec un enfant malade, un nourrisson et sa femme handicapée une France en pleine débandade, à franchir la Loire, avant les troupes ennemies, à se faufiler parmi les masses de réfugiés et à échapper aux bombes des Junkers. De cette fuite éperdue, Jean-Élie ne garde qu'un souvenir confus d'une nuit passée dans un château déserté par ses propriétaires et mis à leur disposition par un gardien complaisant.

Le médecin capitaine Boltanski finit par retrouver son service à Ronce-les-Bains, une station balnéaire, en Charente-Maritime. Son supérieur, le voyant resurgir à l'improviste, lui demande d'où il vient et ce qu'il fait là. Il le considère avec méfiance, l'accuse quasiment d'espionnage : « Comment saviez-vous que nous étions ici ? » lui demande-t-il. Le suspect se défend : « Mais un officier m'avait averti… » Il n'est pas le bienvenu. Autour de lui, on ne parle que de « cinquième colonne ». On tient déjà les « Juifs et les métèques » pour responsables de la défaite. Il est mis en congé sans solde, le 18 juin 1940, soit quatre jours avant l'armistice. Que fait-il alors ? Il pourrait se dépêcher de gagner la future zone sud ou tenter de passer à l'étranger. Il doit bien sentir que l'atmosphère va vite devenir irrespirable. Au lieu de cela, il remet ses habits civils et rentre chez lui. Il regagne tranquillement avec sa famille une ville devenue le cœur du dispositif nazi en France.

Depuis, il se soumet aux exigences des nouvelles autorités. Il se rend au poste de police de la rue Perronet ou à la préfecture lors de chaque recensement. Il complète les fiches qui se retrouveront bientôt entre les mains des agents chargés de l'arrêter. Il essaie de faire entrer ses diplômes et ses états de service militaires dans la minuscule rubrique prévue à cet effet sur les imprimés officiels et comprend, à la place impartie, que les renseignements qu'il fournit ne pèsent guère par rapport aux autres réponses : nom, religion, origine raciale de ses parents et grands-parents. Il remplit consciencieusement sa déclaration de biens, n'oublie pas de mentionner les terres de Mayenne héritées par son épouse, reçoit avec les mêmes égards qu'il témoigne à ses patients l'administrateur provisoire désigné par Vichy afin de gérer sa fortune, porte son insigne bien en évidence sur le côté gauche de son manteau, respecte le couvre-feu, obéit au contrôleur du métro qui lui ordonne de monter dans la dernière voiture.

Il fait comme les autres, il suit les ordres. Par habitude, par loyauté. Il continue de s'en remettre à l'État. La loi est la loi. Bon élève jusqu'au bout. Sa vie s'apparente à un concours perpétuel. Pour être admis, il suffit de s'appliquer, de respecter les consignes, d'engranger un maximum de points à l'écrit et de passer brillamment l'oral. Il se répète qu'il a un bon dossier. Il croit que ses médailles, ses titres, sa carrière le protègent. Les torrents de haine ? L'horreur qui monte ? La faute aux Allemands. La France qu'il n'a eu de cesse de servir ne peut pas le livrer à l'ennemi.

Que sait-il précisément ? Il connaît, bien sûr, les noms de Drancy, Compiègne, Pithiviers, Beaune-la-Rolande. Tout le monde en parle. Du moins tous ceux qui risquent de s'y retrouver un jour. Même s'il ignore dans quelles conditions, il sait que des centaines de personnes, étoilées comme lui, partent chaque semaine dans des convois plombés vers l'Est. Il a dû entendre la radio anglaise annoncer le massacre de sept cent mille Juifs en Allemagne et dans les territoires conquis de Pologne et de Russie. Il se rend bien compte qu'une machine est lancée, il en pressent le caractère inexorable, mais en minimise le danger. Il tente de se persuader que d'autres camps, de travail cette fois, attendent les déportés à leur arrivée : « Ce n'est pas grave. On part en train et on revient », dit-il un jour. Peut-être cherche-t-il seulement à rassurer les siens ?

Progressivement, son monde s'effondre. L'espace autour de lui se contracte. Comme s'il avait été happé par un trou noir. Cafés, restaurants, salons de thé, bois de Boulogne, bois de Vincennes, jardins publics, théâtres, cinémas, stades, piscines, salles de sport, marchés, concerts, commerces, sauf de 15 à 16 heures, quand ils sont justement fermés, musées, bibliothèques, expositions... Les lieux où il lui est interdit d'entrer se multiplient. Il ne peut plus sortir du département de la Seine et doit signaler tout changement de domicile dans les vingt-quatre heures. Après sa voiture, son Vélocar a été confisqué. Son entourage, sa surface sociale, comme on dit, s'est aussi rétracté. Connaissances, collègues, anciens élèves, quand ils ne partagent pas son sort, le fuient comme un pestiféré. Quelques Français, à la vue de son bout de tissu, lui ont manifesté de la sympathie. La plupart d'entre eux font surtout montre d'indifférence.

Au cœur de la guerre, il prend conscience de sa judaïté. Tout l'y renvoie. Comment ne pas se ranger aux côtés des victimes ? Il découvre ses frères ignorés. Il les aide comme il peut, il les reçoit gratuitement, leur prodigue des soins, répond à leurs supplications, accepte de leur délivrer des ordonnances fictives si elles peuvent les sauver, des certificats invraisemblables qui imputent à une intervention chirurgicale et non à un acte rituel ce qui est dorénavant considéré comme une marque d'infamie. Il les réconforte avec des mots surgis de l'enfance, des mots venus de très loin. Il est désormais l'un des leurs.

Quand, à la demande expresse des Allemands, le régime de Vichy crée, le 29 novembre 1941, l'Union générale des israélites de France, l'UGIF, afin d'encadrer la communauté juive, il décide illico d'y adhérer. Il veut en être. Par solidarité. Par discipline, aussi. Tous les Juifs sont tenus de s'y affilier. Un de ses amis médecins l'y encourage : « Il faut y entrer. Ça nous protège ! » Il pourrait y assurer un service d'aide sociale, se rendre utile, tout en étant en règle, une fois de plus. Une fois de trop. Ce *Judenrat*, établi sur le modèle de ceux qui existent déjà dans les ghettos de l'est de l'Europe, est un piège. Ses dirigeants et son personnel, malgré leurs cartes appelées « de légitimation » qui les mettent théoriquement à l'abri des rafles et des internements, finiront tous par être déportés. Son épouse parvient à l'en dissuader. « Ne fais pas ça, lui crie-t-elle, c'est de la folie ! » Elle le supplie de ne pas inscrire son nom sur une nouvelle liste. Surtout sur celle-là. Elle le sent bien. Cette organisation, empreinte de respectabilité, aux buts tous plus estimables et qui clame son absolu légalisme, n'est qu'une souricière.

8

Elle seule paraît prendre la mesure du péril qui le guette. Peut-être à cause du milieu dont elle est issue. Elle redoute moins les collaborationnistes qui vociférent à Paris que tous ces gens très bien aux commandes à Vichy. Des bourgeois, pour la plupart, conservateurs, catholiques, maurrassiens, débordants de rancœur et prêts à acquiescer au pire. Elle a été témoin de leur divine surprise, au lendemain de la défaite, de leur bonheur de se retrouver enfin entre soi, après avoir été si longtemps méprisés par une République impie. Elle sait ce qu'ils ont dans la tête et devine ce dont ils pourraient être capables. Elle n'ignore rien de leurs préjugés, de leur étroitesse d'esprit, de leur haine atavique pour les « tortionnaires du Christ ». Elle les connaît d'autant mieux qu'elle les côtoie depuis l'enfance.

Il lui suffit d'écouter sa propre famille. Sa mère si douce évoquant l'aversion que « ces gens-là » lui inspirent. « Quand on pense à tout le mal qu'ils ont fait, on ne peut pas les plaindre », peut-elle lâcher devant son propre gendre. Mais lui, bien sûr, c'est différent. À cette époque, chacun a son bon Juif, l'exception qui confirme la règle.

Ou encore son frère, le même qui fait antichambre à Vichy et vante les mérites de l'ordre allemand, qui raconte, sur le ton de la blague, comment il s'amusait à tirer la barbe des Juifs religieux – sans doute utilise-t-il un terme plus péjoratif pour les qualifier – au début des années vingt, en Pologne (il appartenait alors à la mission militaire française partie combattre les rouges). Son animosité ne l'empêche pas, lui non plus, d'entretenir des relations cordiales, chaleureuses même, avec son beau-frère, de jouir de son hospitalité, lors de chacun de ses séjours à Paris, et d'aimer échanger avec lui des souvenirs de guerre. Entre poilus, on se comprend toujours.

Et la nièce mariée à un vicomte qui, à la table, Rue-de-Grenelle, lance entre deux plats : « J'ai vu un type dans le métro. Il me regardait. Il avait une sale tête de Juif. Oh, pardon, mon oncle ! » Là, je prends des libertés avec la chronologie. Ses propos racistes ont été tenus après la guerre. Après la Shoah. Avant, elle ne se serait vraisemblablement pas excusée. Tout cela est formulé avec beaucoup de naturel, sans volonté de nuire, sans malice particulière.

On peut aussi remonter dans le temps. Au père Stéphen Coubé et à ses conférences données à la Madeleine sur « la race maudite, élue par Dieu, ingrate envers Dieu et rejetée par Dieu », conférences tirées de son livre enseveli dans la bibliothèque du bureau. Un des legs de la marraine. Tare transmise en héritage. L'auteur, encensé par Édouard Drumont, chantre de l'antisémitisme français, faisait-il partie lui aussi des convives venus admirer la petite orpheline dans sa robe du dimanche, autour du thé de cinq heures ?

Elle continue de baigner dans ce monde. Elle sait que ces gens peuvent s'émouvoir du sort réservé à tel ou tel, elle n'hésitera d'ailleurs pas à faire appel à certains d'entre eux. Mais elle perçoit leur soulagement devant le grand nettoyage entrepris, leur manque profond d'empathie pour tous ces parias dès lors qu'ils sont appréhendés dans leur globalité. Elle devine leur désir, pas forcément d'éliminer cette masse indistincte qui leur fait peur, mais de la voir transférée ailleurs, loin de la France. La menace qui s'accroît la terrifie d'autant plus qu'elle lui est familière et fait écho à quelque chose qu'elle ressent au fond d'elle-même. Elle en est convaincue : son mari doit disparaître.

9

L'élément déclencheur peut paraître trivial au regard des atrocités commises au même moment. Il concerne un chat. Le matou s'est introduit chez un voisin, par une fenêtre entrouverte, de l'autre côté de la cour, et a uriné un peu partout. L'occupant de l'appartement est furieux. Il menace mon grand-père de le dénoncer à la police s'il ne se débarrasse pas immédiatement du coupable. Depuis le 15 mai 1942, les Juifs ont, entre autres, interdiction de posséder des animaux domestiques. Les contrevenants à une quelconque ordonnance allemande, aussi anodine soit-elle, peuvent être arrêtés.

L'homme le tient. Il n'a beau avoir qu'une idée vague de ce qui peut se passer après, il sait que s'il dépose plainte contre lui, il l'expose à de sérieux problèmes. Le marché qu'il lui propose est simple : c'est lui ou le chat. Il n'a aucune raison d'agir ainsi. Ils n'ont jamais eu d'altercation auparavant. Ils ne savent pas grand-chose l'un de l'autre. Leurs rapports se limitaient jusque-là à des politesses d'usage échangées sur un pas de porte. Il n'est qu'un voisin. Mais l'ordre nouvellement instauré en Europe lui confère un pouvoir exorbitant, presque un droit de vie et de mort, même s'il ne le formule pas ainsi, sur l'un de ses congénères et, très naturellement, il en profite.

Pendant toute la journée, Grand-Papa essaie sans y parvenir d'empoisonner la bête. Il lui court après, l'attrape par la queue, introduit avec ses mains tremblantes différents médicaments entre ses crocs. Elle s'échappe en poussant des râles. Il la retrouve, tapie sous un meuble, le museau révulsé, la gueule dégoulinant d'écume, effrayée mais vivante. Il finit par la tuer, j'ignore comment. Sans doute l'a-t-il noyée dans la baignoire.

10

Il veut fuir. Avec ses faux papiers qui le métamorphosent en Miss Marple. Mais où ? La Suisse refoule la plupart des illégaux et n'entrouvre ses portes qu'à titre exceptionnel, aux vieux, aux femmes enceintes, aux enfants, et encore, pas toujours. Aucun déguisement ne le fera entrer dans l'une de ces trois catégories. Il pense plutôt à l'Espagne, première étape vers l'Angleterre ou l'Amérique. Il en parle à son épouse. Elle s'y oppose énergiquement. Dans son état, elle ne peut pas accomplir un tel voyage. Et pas question de le laisser partir seul. J'entends d'ici sa voix moqueuse : « Toi qui ne marches jamais ? Tu te vois traverser les Pyrénées dans la neige, en robe et en escarpins ? Mon pauvre ami, tu n'arriveras même pas jusque-là ! » Elle le considère incapable de se débrouiller avec la soldatesque, les passeurs et tous les margoulins qui pullulent aux abords de la ligne de démarcation. Il serait pris avant même d'atteindre la zone libre, ces deux mots trompeurs.

Elle songe à une autre solution qui a le mérite de ne nécessiter aucun déplacement et de préserver, voire de renforcer, la cellule familiale. Une cellule entendue dans un sens plus carcéral que biologique. Elle croit avoir trouvé l'endroit idéal où planquer son mari. À deux pas du lit conjugal. Dans ou, plutôt, sous l'entre-deux.

Ce n'est pas elle qui a eu l'idée du trou, mais le mari d'une de ses sœurs. Un architecte du Pouliguen. Un autre vétéran de Quatorze. Je précise ce détail car son geste peut s'expliquer, également, par la solidarité d'armes qui le lie à son beau-frère. Quand il vient à Paris, il fait souvent un détour par la Rue-de-Grenelle. Je ne sais pas qui a abordé le sujet le premier, mais je peux tenter de reconstituer la scène. Il demande, peut-être, à aller aux toilettes et, une fois sur place, s'étonne de la présence des quelques marches qui mènent à l'entre-deux. La surélévation de ce couloir étroit par rapport au palier l'intrigue d'autant plus qu'elle correspond, au rez-de-chaussée, à un faux plafond. Il sonde le parquet et lâche quelque chose comme : « C'est vide là-dessous ! » Il veut en avoir le cœur net, soulève les lattes et découvre une cavité suffisamment profonde pour y aménager une cachette.

Afin d'en garantir le secret, il propose d'effectuer lui-même les travaux. Il revient quelques jours ou quelques semaines plus tard avec le matériel adéquat. Il dégage la charpente. Il renforce la partie la plus basse. Entre deux lambourdes, il bâtit un coffrage en bois. Il prévoit un conduit d'aération, une grille à peine visible qui débouche dans la salle d'examen. La fosse fait environ un mètre vingt de hauteur et un mètre de côté. Un homme de petite taille comme mon grand-père peut s'y tenir agenouillé ou couché en chien de fusil.

La trappe est matelassée à l'intérieur, afin d'éviter qu'elle ne produise un son creux lorsque l'on marche dessus. De façon à la rendre encore plus insonore et à la camoufler quelque peu, un tapis épais la recouvre. La pièce est sombre et ne sert qu'aux proches. Mais, en cas de fouille en règle, le subterfuge ne résistera pas longtemps.

Comment dissuader les policiers de venir chercher le fugitif chez lui ? En les convainquant qu'il a pris la fuite.

11

Étienne et Marie-Élise décident de divorcer. En ce temps-là, la loi ne permet pas à des époux de se séparer par consentement mutuel. Le lien conjugal ne peut être rompu qu'en cas de faute. Je ne les vois pas prétexter l'adultère, encore moins des sévices corporels. Dans les deux cas, il leur faudrait le constat d'un huissier. Reste la peine affective et infamante. Se sont-ils injuriés devant le juge ? Ma grand-mère, la connaissant, a pu prendre un certain plaisir à produire de fausses lettres d'insultes. La rédaction de cette correspondance bidon, de ces pages fielleuses, de ces litanies de récriminations, de pleurs, de gémissements, constitua, probablement, sa première expérience littéraire. Le mariage est dissous par la 4e chambre du tribunal civil de la Seine, le 16 octobre 1942.

Le plan qu'il doit suivre est assez simple : attendre la nuit, simuler une dispute, pousser des cris suffisamment forts pour être entendus par les voisins, partir en trombe avec une grosse valise à la main, et, après un certain temps, une fois que tout le monde est endormi, revenir sur la pointe des pieds et gagner sa tanière. Nul ne doit être au courant, à part, bien sûr, son épouse, le beau-frère architecte et Jean-Élie, qui, après l'effacement de son père, va devenir le seul élément moteur de la famille. Luc ne peut pas être mis dans la confidence. Il est trop petit. Il risquerait de parler.

Le signal du départ lui arrive sous la forme d'un billet vert l'invitant à « se présenter » aux autorités pour un « examen de situation ». La missive signée par le commissaire de police précise qu'il doit être « accompagné d'un membre de sa famille et se munir de pièces d'identité ». Il comprend – ou elle comprend pour lui – qu'il ne doit pas répondre à cette convocation. Le soir même, il plonge dans la clandestinité.

12

L'existence qu'il mène pendant un peu plus de vingt mois m'a longtemps fait penser à l'un de mes romans préférés, *Le Solitaire* de Geoffrey Household, qui fut adapté au cinéma par Fritz Lang sous le titre de *Chasse à l'homme*. L'histoire d'un chasseur blanc lancé à la poursuite d'un dictateur européen, genre Adolf Hitler, non pas avec l'intention de le tuer, mais par amour du sport, et qui, après l'avoir tenu en joue dans une montagne bavaroise, se retrouve traqué à son tour et doit, pour échapper à ses poursuivants, disparaître dans la verte campagne anglaise. Il finit au fond d'un terrier, enfoui dans le sol, exactement comme les animaux sauvages qu'il avait l'habitude de pourchasser.

J'ai cru que mon grand-père était lui aussi resté là, tout du long, terré sous son tapis persan, retenant sa respiration et attendant que ça passe. Comme il n'évoquait jamais cette période de sa vie, sinon par de vagues allusions, et n'a pas tenu de journal, je pouvais tout imaginer. Je le voyais en position fœtale, semblable à un fauve lové dans son antre ou à un prisonnier jeté aux oubliettes, avec des chaînes et des boulets aux pieds, prenant au fil du temps la forme de sa prison, et jaillissant, une fois la guerre terminée, tel un diable de sa boîte, tout courbaturé, tordu, bosselé. Plié en deux. Incapable pendant des mois de se tenir droit. Les pupilles aveuglées par la lumière, la peau devenue translucide à force de macérer dans les profondeurs, un peu comme un poisson abyssal ou le personnage de Gollum, dans *Le Seigneur des anneaux*.

13

En réalité, il ne se précipite dans son trou qu'en cas de danger. Quand un visiteur se présente. Au tintement aigu de la sonnette. Dès qu'il discerne une voix étrangère. Celle de la concierge, par exemple, qui débarque toujours à l'improviste avec ses enfants. Il a retrouvé ses réflexes des tranchées. À chaque bruit suspect, il saute dans son abri, rentre la tête dans les épaules, tend l'oreille, guette la déflagration. Lorsqu'il distingue des pas, il essaie de les identifier à leur lourdeur, leur rythme, leur élan, il les suit à travers toute la maison, avec la même précision, la même angoisse qu'il mettait à reconstituer la trajectoire d'un shrapnel.

Le reste du temps, il se cache dans l'entre-deux, son territoire réservé. Au milieu de ses livres et de ses crucifix. Toujours loin des fenêtres. Une ombre entraperçue par un voisin suffirait à le trahir. À distance aussi de son fils cadet, ce petit qui le croit parti et se sent abandonné.

Hors du monde, il effectue une retraite totale. Il traverse presque une crise mystique. Chaque matin, il choisit un passage de la Bible au hasard et l'interprète pour savoir ce qui va lui arriver. Il s'immerge, comme on l'a vu, dans la lecture de saint François de Sales et d'autres auteurs illustres, tels Thérèse d'Avila ou saint Augustin. Dans son oratoire, il doit aussi passer des heures à prier. Il consulte plus rarement ses traités de médecine. Pour quoi faire ? Ils ne peuvent lui être d'aucun secours.

De l'extérieur ne lui parvient qu'un grésillement étouffé. Il écoute la BBC, l'appareil radio collé à l'oreille, le volume presque à zéro. Il voyage avec les ondes, tremble à chaque bataille, accompagne d'un cri de joie la moindre avancée alliée. « *Mussolini has resigned* », chuchote-t-il un jour à Jean-Élie, le regard radieux, comme s'il lui révélait un fabuleux secret. 25 juillet 1943 : le Duce vient d'être destitué par le roi et lui ignore qu'il va devoir patienter encore un an avant sa délivrance.

Vingt mois. Sans promenade, même grillagée. Avec seulement quelques mètres de cellule à arpenter. Pas de ciel à contempler derrière des barreaux. À l'isolement. Privé de parloir. Muré dans le silence. Personne avec qui communiquer, hormis son épouse, son double qu'il retrouve la nuit, une fois les deux enfants assoupis. Femme qui boite contre homme en boîte. Ils font désormais jeu égal. Leurs conversations se limitent à des murmures. Même allongé dans ses bras, il continue d'être attentif au moindre son. Il redoute d'être surpris au saut du lit par son plus jeune fils en pleurs, sans cesse sujet à des cauchemars. Au petit matin, il sort de la chambre sans faire de bruit et regagne son renfoncement. Il ne s'habille pas vraiment, ne quitte plus sa vieille robe de chambre.

Ses journées grises et vides se ressemblent toutes. Quand il ne s'adresse pas à son Dieu, quand il délaisse ses bouquins et les boutons de sa TSF, que fait-il ? Comme tous les prisonniers du monde, il dort, il végète à mi-chemin entre le réveil et la torpeur, perd la notion du temps, ne sait plus trop ce qui relève du songe et de la réalité. L'espace autour de lui finit par se dilater. Son microcosme se change en cosmos. Même la guerre et l'Occupation lui paraissent irréelles. Il mène une vie ralentie, semi-comateuse. Il hiberne. Une fois, Marie-Élise l'entend ronfler bruyamment au moment précis où elle reçoit quelqu'un. Elle panique, hausse la voix pour couvrir son vrombissement et entraîne son invité le plus loin possible de la source sonore.

Le voilà hors-la-loi, pour la première fois de son existence. Se sent-il coupable ? A-t-il honte d'être devenu une bouche inutile avec qui il faut partager le peu de rations qui reste ? Ses feuilles de tickets ne sont plus valides. Sans les quelques colis envoyés par des paysans de Désertines, ils mourraient de faim. Il doit surtout se reprocher de faire courir un immense danger à ceux qu'il aime. S'il est découvert à son domicile, il expose tous ses occupants à des représailles dont même lui entrevoit l'issue fatale.

Songe-t-il, aussi, à Jean-Élie, âgé d'une douzaine d'années, qui déjà s'occupe de tout dans la maison ? C'est lui qui fait la queue pendant des heures pour un chou-fleur malingre, un morceau de gruyère cartonné, des rutabagas immangeables sans matière grasse. Lui encore qui accompagne sa mère jusqu'à un bureau de l'administration militaire allemande, près des Champs-Élysées, pour essayer de récupérer le Vélocar qui leur a été confisqué. Démarche folle qui provoque immanquablement la fureur de l'officier : « Madame, vous n'aviez qu'à ne pas épouser un Juif ! »

14

Le plus grand risque ? Être dénoncé. Par n'importe qui. Le tueur de chat du premier étage. Le propriétaire de l'appartement qui vit sur la rue, un nobliau, haut fonctionnaire au ministère de l'Alimentation et grand admirateur du Maréchal. La concierge à qui les policiers tentent constamment de soutirer des tuyaux. Son mari ivrogne, ses enfants bavards. La couturière du quatrième qui ne jure que par Radio Paris. Les premiers ennemis potentiels, ce sont les voisins. Ses stratagèmes s'adressent d'abord à eux. Comme le courrier qu'il s'envoie à lui-même, via l'une de ses belles-sœurs installée à Grenoble. Les enveloppes réacheminées depuis l'autre bout de la France et portant son écriture servent à accréditer la thèse de sa fugue au regard de l'immeuble.

15

Son expérience est à la fois insolite et commune à la plupart des rescapés. Sinon à tous. Partout en Europe, des gens se sont cachés dans des compartiments secrets, des greniers, des caves, des granges, des maisons isolées, des poulaillers, des trous creusés au cœur des forêts, sous de faux plafonds ou de fausses identités. « Si vous n'aviez pas une histoire étonnante, vous n'auriez pas survécu », explique une survivante (qui, comme les autres, doit la vie à une suite de circonstances exceptionnelles) à Daniel Mendelsohn, l'auteur du livre *Les Disparus*. Ceux qui se sont conformés à l'ordre habituel des choses sont morts assassinés.

Le plus surprenant dans son cas, c'est d'avoir passé le restant de sa vie à l'endroit même où il avait trouvé refuge. Il ne s'est jamais éloigné de sa cachette. Quand il se rendait dans l'entre-deux, cette parenthèse jamais refermée, c'était son cocon qu'il allait retrouver. Sa présence le rassurait. Il aimait l'entendre craquer sous ses pieds. Il en parlait avec tendresse. Il lui avait même trouvé un sobriquet. Il l'appelait son Sam' suffit. Son coin à lui, sa retraite secrète. Il l'aurait volontiers décorée, comme un pavillon en meulière, avec des bacs à géraniums et des nains de jardin. Avant de partir en vacances, il y déposait les rares objets de valeur de la maison, sa médaille d'or de l'internat, l'argenterie, une statuette chinoise ancienne, enfouis dans un sac en plastique.

La cachette pouvait resservir à tout moment. Elle avait été nettoyée peu de temps avant ma naissance afin d'accueillir éventuellement mon père qui, encore étudiant, militait dans un réseau de soutien aux indépendantistes algériens du FLN et craignait alors d'être arrêté. Petit, je n'avais pas le droit de descendre à l'intérieur, même de m'en approcher lorsque la trappe était ouverte. Elle se confondait avec le parquet et avait la lourdeur d'une pierre tombale. Quand on la soulevait, on entendait comme un souffle, on avalait un nuage de poussière, on était happé par le gouffre. C'était comme violer une sépulture antique. On distinguait à peine le fond, faute de lumière. Il s'en dégageait une odeur d'humidité et de vieux bois. Il m'arrivait d'entrouvrir cette boîte à trésor qui m'effrayait et m'attirait à la fois. Mais je ne suis pas entré dedans. Je n'ai jamais bravé l'interdit, par peur d'une mauvaise chute, peur aussi des fantômes qu'elle renfermait.

CHAMBRE

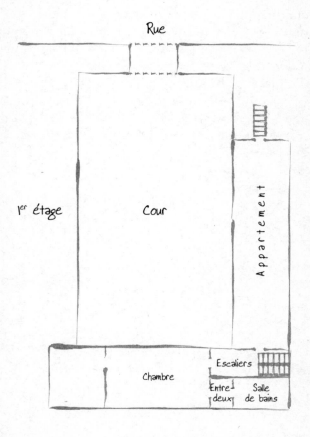

Rue

1er étage

Cour

Appartement

Chambre

Escaliers

Entre-deux

Salle de bains

1

À force de servir de trampoline, le pouf orange fuyait sur plusieurs segments de sa couture. Je le faisais maigrir en sautant dessus à pieds joints. À chaque nouveau choc, il crachait en sifflant quelques postillons blancs et sa silhouette en poire devenait un peu plus efflanquée. Les billes en polystyrène rebondissaient sur la moquette gris-bleu et disparaissaient sous les meubles. Allongée, les jambes enveloppées dans un plaid, Mère-Grand ne faisait pas attention à mes galipettes. Je pouvais faire n'importe quoi, escalader son lit radeau, taper des mains sur le tabouret en plastique Tam Tam, en coinçant son tronc évasé entre mes cuisses, ou cogner le lampion en papier de soie blanc avec le battant de la porte pour qu'il rebondisse contre le mur comme un ballon, elle continuait, imperturbable, à écrire sur sa tablette en cuir.

Malgré ses réticences, elle me laissait même jouer avec ses animaux en verre soufflé, alignés sur le bar, à côté du répondeur. Elle adorait ses Murano. Elle en faisait la collection depuis sa lecture de la pièce *La Ménagerie de verre*. Elle prenait un malin plaisir à imiter Laura Wingfield, cette handicapée neurasthénique enfermée dans son zoo de cristal miniature. Contrairement au personnage de Tennessee Williams, elle était autrement plus solide que ses figurines translucides. Quand, par mégarde, j'en cassais une, elle restait de marbre. Elle ne disait rien.

Je n'ai jamais été aussi libre et heureux que dans cette maison. J'aimerais pouvoir la décrire avec la précision d'un entomologiste détaillant la vie d'une fourmilière, galerie après galerie, ce faisant, je passerais à côté de tout ce qui ne se voit pas à la loupe : l'incroyable appétit de vivre, les moments d'ivresse, d'euphorie même. Lui, dansant dans sa robe de chambre, elle, assise sur le rebord du lit, criant avec voracité : « Un, deux, trois, ouah-ouah », en abattant sa dernière carte de jeu. Les plaisirs minuscules. Anne écoutant en boucle des tubes sur un tourne-disque portable. Jean-Élie essayant de partager une religieuse au café en un nombre de parts impair. Le va-et-vient constant. Les amis qui déboulent sans prévenir. Le mépris à l'égard des règles habituelles de bienséance. Les pieds nus, les mains dans les plats. La possibilité de presque tout dire. Les débats sans fin. L'énergie, l'exubérance émanant de cette communauté soixante-huitarde avant l'heure. La lumière, malgré les ténèbres.

2

La chambre était décorée dans le style de l'époque, les années soixante-dix. Au fond, coincé dans l'angle, un grand lit, entouré de planches en contreplaqué. À ses pieds, une table basse aux jambes tubulaires ovales en inox, reposant sur un tapis shaggy en peau de mouton à hautes mèches. Le long du mur, opposé à la fenêtre, un meuble caisson bas servant à la fois de banc et d'espace de rangement. Au milieu, une grosse télévision à tube cathodique montée sur un trépied à roulettes. Derrière, une bibliothèque brinquebalante, construite par Christian, tenant aux quatre coins avec du tissu adhésif Chatterton, remplie de livres d'art emboîtés dans du carton fort. Tout était peint en blanc brillant, vitrifié, ripoliné, chaises comprises. Une couleur choisie pour sa clarté, sa neutralité, son vide qui tranchait avec les teintes foncées, les chamarrures des autres pièces.

On retrouvait ce parti pris moderniste dans les tableaux accrochés aux murs. Des œuvres contemporaines acquises sur les conseils de Christian. Une lithographie rouge et blanc de Jean-Pierre Raynaud, reproduisant le panneau d'une sortie de secours. Des ombres transparentes, recouvertes d'un plexiglas orangé de Lourdes Castro. Un Le Gac montrant deux silhouettes bleu ciel dont les bouches réduites à un simple trait s'effleurent comme si elles étaient sur le point d'échanger un baiser. Spectacle intrigant pour des gens qui ne s'embrassaient pas. Pour se saluer, nous tendons le front, pas la joue. Nous courbons l'échine et cognons légèrement nos têtes, un heurt léger et maladroit, entre le coup et la caresse, un peu comme des chevaux qui se frottent mutuellement la crinière. Cérémonial dont j'ignore la provenance et que je n'ai observé qu'au sud du Sahara.

Je me souviens surtout d'une peinture suspendue au-dessus du pouf orange de Breyten Breytenbach, le poète et écrivain sud-africain, le représentant nu, dans la position dite du « 69 » avec Yolande, sa femme vietnamienne. Elle, avec son pénis dans la bouche, lui, tirant la langue comme un enfant mal élevé. Une toile de couleurs vives peinte Rue-de-Grenelle, où il avait séjourné pendant un an et demi, longtemps avant son retour dans son pays et son arrestation par le Boss, les services secrets de l'apartheid. Cette éruption d'érotisme dans un univers largement asexué me troublait tout autant que la poitrine opulente de Vivien Leigh recouvrant une bonne partie de l'affiche du film *Autant en emporte le vent* placardée à gauche de la fenêtre. Il ne faisait aucun doute dans mon esprit que cette paire de seins comprimée dans une robe en taffetas rouge était au moins partiellement responsable de l'incendie de la ville d'Atlanta que l'on aperçoit en toile de fond.

3

En fin de journée, Mère-Grand prenait place sur son lit de justice. Un trône austère, recouvert d'un tissu de lin, format king size, matelas ferme, grâce à un mélange équilibré de fibres longues et courtes, deux oreillers en plumes d'oie. Pas d'autres supports. Un traversin lui aurait rappelé Désertines. Même couchée, même alitée, avec toujours une bouillotte en caoutchouc qui glougloutait sous sa couverture écossaise, elle continuait à déployer un étonnant dynamisme. Elle donnait audience, recevait ses amis proches, répondait au courrier, tapait ses romans, très vite, avec deux doigts, sur sa machine Olivetti, faisait les comptes, tranchait, prenait les décisions importantes. Le lit était moins « l'espace forclos du désir » que le siège du pouvoir, le point fixe autour duquel tout s'organisait.

Jean-Élie faisait son entrée dans la chambre avec les couverts empilés sur un plateau en argent aux poignées torsadées. Anne le suivait en portant à bout de bras le repas fumant dans une casserole. On mangeait là, selon un cérémonial immuable, elle allongée, lui assis derrière sa petite table, juste à côté de l'entre-deux et de son boyau obscur, nous agenouillés sur le tapis shaggy, autour de la table basse encombrée de nourriture. On picorait, on prenait de-ci, de-là, comme on voulait, sans se soucier de l'ordonnance des plats. Nos pique-niques nocturnes avaient la gaieté d'un déjeuner sur l'herbe.

4

Le petit écran perpétuellement allumé ne nous empêchait jamais de parler. Bien au contraire. Nos conversations se mêlaient constamment au flux télévisuel jusqu'à former un tintamarre sans queue ni tête.

— *À la SNCF, le trafic a repris normalement ce matin…*

— Il y a une histoire de Bradbury qui est jolie…

— *À l'origine de la grève, on le sait, le licenciement d'une femme de ménage…*

— C'est toujours celui qui regarde l'œuvre qui la fabrique…

— *Chaque père a la gorge nouée quand il pense à ce qui s'est passé…*

— Moi j'étais contre cette maison, ce n'est pas bien (bruit de briquet) mais je ne voulais pas y retourner…

— *Ce sera le 291e numéro d'Apo…*

— C'est moche comme tout…

— *Il me semble en lisant votre livre que vous avez été…*

— J'ai essayé de la réparer avec de la colle et du fer...

— *Et sous ton soleil implacable, tu ne redoutes que la mort...*

— Le problème, c'est le couple État-nation...

— *J. R., vous êtes un type infâme !*

— Il y a un concept très important...

— *Je me fous de savoir si tu préfères être avec deux chimpanzés ou une chèvre !*

— Mais si on déconstruit une réalité...

Impossible de regarder tranquillement le JT de vingt heures, *Dallas, Cartes sur table, Apostrophes* ou *Droit de réponse.* On n'observait le silence que beaucoup plus tard, pendant le ciné-club du vendredi soir ou le second film de *La Dernière Séance.*

5

Je me couchais à l'heure que je voulais ou, plutôt, à la même heure qu'eux. On ne m'exilait pas dans une pièce à part. Je n'étais pas abandonné dans le noir à mes terreurs enfantines, loin du centre névralgique de la maison. À ce moment-là, je n'avais pas de lieu à moi. Je restais là. À leurs côtés. Derrière la porte à deux battants condamnée, au moment du coucher, avec une barre de fer transversale. Verrou tiré dans la salle de bains. De part et d'autre, ponts-levis relevés en cas d'attaque. La chienne, Nanouk, caniche noir très sale à l'humeur acariâtre, en sentinelle devant la fenêtre, prête à aboyer.

Une fois claquemurés, le lampion éteint, nous dormions tous dans la même pièce. Mes grands-parents dans leur lit. Jean-Élie et moi par terre. Dans des sacs de couchage. Des étuves encore humides des nuits précédentes que nous sortions du grand caisson blanc. Momifiés au pied du berceau familial. Campeurs dans notre propre maison, soir après soir. Tente dressée, piquets plantés, bruit de zips, de corps se débattant à l'intérieur du molleton, de parquet qui craque, malgré la moquette épaisse. Comme, avant, Luc et Christian. Eux aussi avaient bivouaqué dans ce lieu transformé en château fort. Quinze années de duvet pour mon père. Six ans de plus pour son frère. Telle une portée de chiots blottis autour d'une mère nourricière, formant un bloc compact jusqu'au bout de la nuit. Seule Anne faisait chambre à part.

De vieux nanars américains sous-titrés, avec le son coupé pour ne pas nous réveiller, meublaient ses insomnies. Ils éclairaient son visage, par intermittence, comme le pinceau lumineux d'un phare par une nuit d'encre. Lors de ces brefs éclairs, je surprenais son regard posé sur nous. Elle nous surveillait du haut de son promontoire, elle vérifiait qu'aucun sarcophage ne manquait à l'appel. Dans l'obscurité, ses capacités sensorielles et auditives étaient décuplées. Elle écoutait nos respirations, elle nous reconnaissait à nos souffles, guettait les bruits discontinus, les halètements, les toux suspectes qui pouvaient révéler une poitrine oppressée. Elle s'assurait que les sons se combinaient harmonieusement, à l'instar d'un chef d'orchestre.

À l'entendre, elle n'était pour rien dans le délire obsidional qui frappait cette famille. « Les miens avaient un sommeil social et collectif, plaide-t-elle dans *La machine a fait tilt*. Sans ma présence immédiate, ils restaient là, yeux grands ouverts, pleins d'un anéantissement boudeur, d'un refus calculé. » « Ils formaient à mes pieds un gros paquet, un peu irrégulier, détaché de moi, avec ses mouvements lui appartenant en propre, assurant sa vie, dont la chaleur ne me servait à rien », lit-on quelques pages plus tôt. Ou encore : « Les enfants m'adoraient. Nous ne nous quittions pas une seconde, ils buvaient seulement la vie que je filtrais pour eux. »

Après nos jours, elle contrôlait nos nuits. Elle faisait le guet à la porte de nos rêves. Comme les Grecs, elle craignait le sommeil, cette petite mort périodique. Même ce voyage-là ne pouvait être accompli seul. Nous formions un phalanstère, une utopie moins la rigueur doctrinale, une fraternité socialiste qui n'aurait retenu que l'aspect grégaire, un campement hippie. Un corps multiple disposé en étoile et à la conductivité parfaite.

Le matin, il nous réveillait en secouant légèrement nos pieds à travers la couette. Il commençait par la partie la plus éloignée du cœur afin, disait-il, d'éviter les chocs et de nous sortir progressivement de notre léthargie. Dans le cas de son épouse, qui, pour s'endormir, avait généralement fini par avaler un somnifère, il accompagnait son geste d'un murmure, d'un chant imperceptible, une sorte de mélopée lente. « Bonjour, Lili, bonjour, Lili », lui répétait-il avec une infinie douceur.

6

Il est lui aussi son prisonnier. En le retirant du monde, elle se l'est approprié. Elle le garde sous ses pas chancelants, l'extrait de son cachot la nuit venue, lui ouvre sa couche, se donne à lui et tombe de nouveau enceinte. Comment pourra-t-elle justifier l'enfant qu'elle porte ? Dissimule-t-elle sous des robes évasées son ventre qui grossit ? Son propre corps la trahit. Une fois de plus. Songe-t-elle à se cacher à son tour ? Elle ne quitte presque plus la maison. Pertes, nausées, fatigues, découragement, ivresse. Le calendrier de sa grossesse épouse celui de la guerre. Elle attend la délivrance.

Elle ressent ses premières contractions au moment où s'ébranlent les cloches de Sainte-Clotilde. Des carillons repris, de proche en proche, par les autres églises, des doubles-croches qui rebondissent à travers la ville, suivis de hurlements de joie, des cris qui s'élèvent de l'autre côté de la porte cochère, des bruits de foule, de cavalcade, dans la rue, dans toutes les rues. De l'autre côté de la Seine, le gouverneur Dietrich von Choltitz vient de signer l'ordre de reddition des forces allemandes du Grand Paris.

Lorsqu'elle comprend, elle appelle son plus jeune fils et lui présente un inconnu. Reconnaît-il le spectre derrière le voilage ? L'enfant a un mouvement de recul. Elle lui dit : « N'aie pas peur, c'est papa, de retour. »

Son premier acte de femme libérée ? Elle exhume les étoiles jaunes d'un tiroir et les brûle toutes, sauf une. Pour mémoire. Puis elle traverse la cour, sonne chez le voisin, le nobliau employé au ministère de l'Alimentation, et l'oblige à pendre à son balcon donnant sur la rue un drapeau rouge qu'elle a confectionné avec un chiffon et un manche en bois. Au moins, cet insigne-là n'expose son détenteur qu'à la surprise et aux ricanements de l'entourage.

7

Le voilà dehors pour la première fois. Quelques mètres à parcourir jusqu'à une plaque de cuivre. Le médecin qui ouvre lui-même la porte. Inquiet. Il refuse de le suivre, a peur de sortir à cause du tireur isolé qui canarde les passants depuis un toit. Des combats sporadiques se poursuivent dans la ville. Étienne insiste : « Elle va accoucher, je vous dis ! » Il le supplie, lui rappelle son serment d'Hippocrate, le pousse presque dehors. Son interlocuteur lui rétorque, peut-être, quelque chose comme : « Faites-le vous-même ! Après tout, nous sommes confrères. » La discussion s'envenime. Après de longues palabres, le « confrère » finit par se laisser convaincre, prend sa trousse, descend l'escalier, rase les murs en pressant le pas, le regard en l'air, guettant une détonation, derrière le mari affolé. Elle, dans sa chambre, allongée, les eaux déjà perdues. Les deux hommes s'affairent. Le toubib du quartier est à son aise. Son assistant, patron des hôpitaux, beaucoup moins. Elle pousse un cri. Et sur son lit, son radeau, son trône, donne naissance à un garçon.

8

La légende ne s'arrête pas là. Quelques jours plus tard, une fois le calme revenu, le hors-la-loi d'hier se rend à la mairie du 7ᵉ pour déclarer le nouveau-né. L'officier de l'état civil demande à voir le livret de famille, découvre le divorce, ne comprend rien à ses explications. Il renâcle lui aussi. Il accepte de reconnaître sa paternité, mais inscrit au registre que le bébé est « né de mère inconnue ». Et quels prénoms souhaitez-vous lui donner ? Ils étaient tombés d'accord sur Christian, sans doute à cause de la version noir et blanc réalisée en 1935 par Frank Lloyd des *Révoltés du Bounty*. Ma grand-mère avait une passion pour Clark Gable qui joue le lieutenant Fletcher Christian, le chef des mutins. D'où le poster d'*Autant en emporte le vent* apposé juste en face de son lit qui, outre l'échancrure de Scarlett O'Hara, arbore un Rhett Butler tout aussi dépoitraillé. Christian, donc. Et aussi, Liberté, ajoute le père qui sort à peine de sa geôle. Christian-Liberté. Et lui ? Est-il libre ?

9

Les survivants réapparaissent sans bruit, à l'angle du boulevard Raspail et de la rue de Sèvres. Ils descendent des bus avec leurs pyjamas rayés, les mêmes bus qui, des mois ou des années plus tôt, les avaient conduits en sens inverse, du camp de Drancy aux wagons à bestiaux de la gare de Bobigny. Ils se faufilent dans la cohue, à travers des centaines de photos agitées à bout de bras, des portraits qui, de toute façon, ne peuvent pas leur ressembler, avec leurs visages joufflus, leurs airs apaisés, leurs cheveux bien coupés. Une fois dans le hall du Lutetia, le palace converti en centre d'accueil, ils se laissent happer par des blouses blanches, des uniformes beiges, des dames à chapeau. On les nourrit, on les saupoudre de DDT, on les interroge, au cas où des collabos se seraient glissés parmi eux, des questions de flics qui les font bondir et auxquelles ils répondent maladroitement, on loue leur courage, leurs sacrifices, leurs faits de résistance, mais on ne parle pas d'eux, puis on leur donne une carte et, s'ils peuvent marcher, un ticket de métro de seconde classe.

Parmi eux, Zina flottant dans ses vêtements, entre la vie et la mort, avec un cœur énorme qui bat à toute vitesse et ses autres organes atrophiés. Les journaux publient quotidiennement la liste des rapatriés. Son nom y figure. Myriam, son amie de la faculté de médecine, sa complice, est là. Elle la cherche depuis qu'elle a reçu sa lettre rédigée lors de son arrestation, un message parvenu jusqu'à elle des mois après, comme une bouteille jetée à la mer. Comment l'a-t-elle reconnue ? À son sourire de Joconde que je conserve jusqu'à ce jour en mémoire ? À ses yeux pétillants ? Sa voix distinguée ? Le reste a disparu. Elle étreint un paquet d'os.

Pendant une semaine, Zina lui raconte, tout. Sa fuite en Corrèze, les soins qu'elle prodigue clandestinement, le maire médecin qui la dénonce, l'interrogatoire par la Gestapo dans l'école, sa fille confiée juste avant à une couturière du village, sa lettre glissée sous un pupitre de la classe, postée bien plus tard par un inconnu, l'arrivée à Auschwitz, la rampe avec ses deux files, celle de la mort immédiate et l'autre, le docteur sanglé dans son uniforme de Hauptsturmführer qui, à la vue de son brassard de la Croix-Rouge, lui indique d'un coup de badine de se ranger à gauche, le *Revier*, l'infirmerie infestée de puces et de rats, les cheminées crachant en plein jour des flammes orange, le même docteur en blouse de soie blanche et ses expériences, liquides injectés dans les yeux avec l'espoir absurde de les rendre bleus, stérilisations à coups de rayons X, jumeaux perfusés avec le sang d'un autre groupe, tentatives vaines qui s'achèvent dans d'atroces agonies, et les diagnostics qu'elle tronque à la veille des sélections, les galeux, les tuberculeux, les diabétiques qu'elle s'empresse de chasser avant qu'ils soient repérés par le même démiurge et, enfin, son renvoi dans un *Kommando* de jeunes femmes, sa marche forcée, au son sourd du canon de ses libérateurs, trois jours, deux nuits dans la neige, les plaies dans les sabots, les gardes qui tirent derrière elle.

Tout, une semaine durant, raconté à la lumière du feu, devant les enfants qui font semblant de dormir, dans la grande pièce glaciale de Désertines. Une maison associée, elle aussi, à la mort. Irène Stora, la mère d'une autre grande amie de Myriam, cachée là pendant des mois et tuée stupidement au moment même où elle ne risquait plus rien, au cours des journées chaotiques de la Libération. Un malentendu. Un soldat de la Wehrmacht qui refusait de se rendre aux partisans du village de peur d'être exécuté. Fille d'un antiquaire bavarois, elle parlait allemand. Elle avait offert son aide. Ses paroles apaisantes avaient convaincu le militaire de déposer son arme. Et puis, il voulut retirer sa cartouchière. Un geste mal interprété par les FFI, des jeunes très nerveux, résistants de fraîche date. Panique. Fusillade. Elle, entre deux feux, fauchée par une balle. Son corps repose dans le cimetière communal, au bout du jardin.

10

Myriam rend aussi visite à sa nièce dans une clinique psychiatrique de Nantes où elle passera des années. Jeannette vient d'être internée, après avoir été entassée avec d'autres filles sur un charriot, promenée à travers La Baule par des hommes harnachés de cartouchières, conspuée, traitée de « pute », de « salope », de « traîtresse », puis rasée en public, au cours d'une grande fête païenne, à la fois joyeuse et cruelle. Employée comme traductrice à la Kommandantur, elle était tombée amoureuse d'un jeune officier. Coupable de collaboration horizontale. Elle, la fille de l'architecte, le bâtisseur de la cachette et, sans doute aussi, de quelques rangées de blockhaus. Tondue, abreuvée d'injures, couverte de détritus, exhibée devant toute la ville hilare, conduite à l'échafaud, à une paire de ciseaux guillotine.

À genoux devant son bourreau, les cheveux tombant par grosses mèches, sous les quolibets, le crâne mis à nu. Depuis, elle a un air de bête traquée, elle ne mange plus. Elle est maigre à faire peur, elle le restera jusqu'à la fin de sa vie.

11

Le nom de Boltanski, sous différentes orthographes, avec un « a » à la place du « o », un « y » niché dans la deuxième syllabe ou employé comme terminaison, apparaît 177 fois sur la base de données du mémorial de Yad Vashem en Israël. 177 victimes de la Shoah, originaires surtout d'Ukraine, mais aussi de Russie, de Roumanie, portent le même homonyme. Hommes, femmes, enfants de tous âges. Parmi eux, 111 ont été assassinés. Le sort des 66 autres n'a pas été formellement établi. Si on ne retient que les natifs ou les résidents d'Odessa, on obtient 26 occurrences. La lecture des feuilles de témoignages, remplies par les proches, permet de reconstituer leurs parcours, leurs liens de parenté, le lieu et la date de leur mort. Presque tous furent tués en 1941 à l'intérieur du ghetto instauré à Odessa, probablement lors des massacres perpétrés en représailles à l'attentat du 22 octobre de la même année contre le quartier général des forces roumaines.

Joseph ou Yosef Boltyansky connut un autre destin. Né un an avant mon grand-père, en 1895, à Odessa, il avait émigré en Allemagne. Il vivait à Mannheim, dans le Bade-Wurtemberg, pas très loin de la frontière française. Sur sa fiche, remplie en juillet 1973 par sa fille, Khana Rand, une annotation à la main : « Gurs – Rivesaltes – Drancy France ». La case juste en dessous précise : « 2 août 1942 Auschwitz. Crématorium. » Le reste se devine. L'arrivée de Hitler au pouvoir, les lois de Nuremberg, la fuite, pendant qu'il en est encore temps, vraisemblablement à Paris, la guerre qui le rattrape, la terre d'asile devenue un piège. Interné dès le déclenchement des hostilités en 1939 en tant que ressortissant du Reich, pays belligérant, expédié à Gurs, un camp des Basses-Pyrénées, à l'approche des troupes allemandes. Livré deux ans après aux autorités d'Occupation par le gouvernement de Vichy, transféré à Drancy, puis, très vite, à Auschwitz, gazé dès sa descente du train. Avant d'être annihilé, un Boltanski, peut-être un parent éloigné, a donc vécu les dernières années de son existence en France.

12

La chaîne était depuis longtemps rompue. Il ne chercha pas à découvrir le sort de ceux qui, plus loin à l'est, portaient son nom. Tiré de sa cachette, il fit ce qu'on attendait de lui. Il réintégra la société. Il recommença sa vie d'avant, comme si de rien n'était, sans plaintes, sans esprit de vengeance, sans rien demander à personne. Il reprit son travail et retrouva ses collègues. Le chef de service qui avait pris sa place, l'interne qui se réjouissait de le voir porter l'étoile jaune, le grand patron responsable de son expulsion. Tous ces gens estimés qui espéraient ne plus le revoir. Il ne leur fit aucun reproche. Il se contenta de les éviter en dehors de l'hôpital. Parmi ses pairs, il ne fréquentait que les parias.

Il poursuivit sa carrière, enchaîna postes et honneurs, siégea dans d'innombrables commissions, mais chacune de ses activités lui demandait un effort gigantesque. Le dehors l'écrasait. Il ne marchait plus. Il ne supportait pas l'espace. Dans la rue, il était pris de vertige. Il ne pouvait plus sortir sans un guide, un peu comme quelqu'un qui aurait perdu tous ses repères. Il redoutait le vide, les ouvertures, les fenêtres, les portes béantes, les cages d'escalier. Il préférait les lieux clos.

Il regrettait sa cachette, creuset de sa souffrance. Il ne l'a jamais quittée. Partout où il était, il reconstruisait sa prison autour de lui. Il dressait de hauts murs entre lesquels il se retrouvait.

Il n'était pas misanthrope. Il n'avait aucun mépris pour le genre humain. La haine n'était pas dans sa nature. Il pouvait même éprouver de la compassion envers ses ennemis. Jean-Élie se souvient de l'avoir vu en colère contre un homme qui jubilait devant une photo de prisonniers allemands en guenilles étalée à la une d'un journal. « Une belle brochette de crapules », proclamait la légende. « C'est honteux d'écrire ça ! s'exclama-t-il. Ce sont eux aussi des victimes. »

Mais il vivait dans une peur continuelle. Le monde extérieur était pour lui une jungle pleine de dangers. Où aller ? Que faire sinon s'isoler des autres ? Il voyait en chacun de ses semblables un assassin en puissance. Deux conflits mondiaux l'en avaient convaincu : n'importe qui peut tuer, du jour au lendemain, si les circonstances le lui permettent, et plus encore si elles l'encouragent à commettre un tel acte. Tout dépend du cadre de référence, comme disent les spécialistes de psychologie sociale. Il était à moitié timbré. Ou peut-être à moitié lucide.

13

Ils se marièrent pour la seconde fois, le 12 juillet 1945. Pas de fête. Une simple formalité administrative accomplie presque un an après son extraction. Avant de publier les bans, il avait voulu être certain de la défaite allemande. Elle n'était pas pressée. Elle répétait sur un ton mi-sérieux, mi-blagueur qu'elle avait hésité à régulariser sa situation. Sa vie en concubinage avec son ex-mari lui convenait. L'Occupation et ses accommodements avaient accéléré sa rupture avec son milieu. Elle ne se sentait plus tenue par des normes bourgeoises dont la guerre avait montré l'hypocrisie.

Elle sortit de l'épreuve à la fois plus craintive et plus téméraire. Plus indépendante, également. Sans avoir jamais fait partie d'un mouvement de résistance, elle s'était battue à sa façon. Elle avait tenu tête aux policiers, sauvé la vie de son mari, donné refuge aux Stora à Désertines, caché aussi, pendant quelques mois à la demande de la concierge, un jeune réfractaire au STO, dans une chambre de bonne au cinquième étage.

14

Sous l'Occupation, pour surmonter son angoisse et tromper l'ennui, elle avait commencé à écrire. La paix revenue, elle reprit ses feuilles éparses et composa des saynètes. Des histoires de gamins espiègles, les siens, avec elle, au milieu, en reine des abeilles. Un autoportrait fidèle. On la retrouve. Tout à la fois petite fille, menteuse, aimante, possessive, mère fouettarde, chef rebelle, agitatrice professionnelle. Des textes poétiques d'amour et de révolte. Elle les fit lire à son ami Adolphe Nuchi, l'éditeur d'*Osmose*, qui les publia dans une de ses petites plaquettes à la couverture sillonnée d'entrelacs couleur pastel pareils à des idéogrammes. Il l'encouragea à continuer.

Celle que j'étais hier parut en 1955 chez Plon, avec une préface de Georges Duhamel. Son premier roman raconte sa polio, son corps qui n'est plus à elle, le froid glacial qui l'envahit, sa première mort. Il évoque aussi son autre guerre, celle qui venait de s'achever, son amant qu'elle appelle Michel Barsky caché, non pas sous le plancher, mais dans sa salle de bains, elle, revivant, maîtresse de son destin pour la première fois, héroïne et non plus seulement victime. Dans la foulée, elle sortit trois autres ouvrages, également autobiographiques, trois cris dénonçant son adoption, le racisme de sa famille, le départ de son fils du cocon qu'elle a créé, échec incompréhensible vécu comme une trahison.

Dans les années soixante, elle se lança dans la rédaction de « récits vérité » sur des exclus, des oubliés, comme elle. Jeunes handicapés laissés à eux-mêmes, bonnes espagnoles témoins de l'intimité de leurs employeurs et invisibles, survivants de la Shoah enfermés dans le silence face à une société encore amnésique, immigrés du fleuve Sénégal ou d'Algérie partis à la poursuite d'un mirage, leurs descendances nées sur le sol français, ces « enfants plus de là-bas, pas tout à fait d'ici ». Elle enregistrait leurs propos, les restituait tels quels, sans effet de style, conformément à une littérature qui proclamait la mort de l'auteur. Entre ces graines sonores arrachées au réel, elle intercalait sa bande magnétique intérieure, sa propre voix concise et musicale.

Après avoir lu *De sang froid*, le livre-enquête de Truman Capote sur deux jeunes assassins du Kansas, elle donna la parole à Samia, Maghrébine paumée d'une cité de Vierzon, battue par son père, fugueuse, condamnée à dix-huit ans pour le meurtre d'un conducteur qui l'avait prise en stop, surnommée par la presse « l'auto-stoppeuse diabolique de la RN6 ». Elle reconstitua sa cavale sanglante et tenta de comprendre son crime prémédité comme un jeu d'enfant, commis avec une fille tout aussi perdue et deux couteaux de cuisine achetés en cours de route dans une grande surface. Lors de leur première rencontre, à la prison de Fresnes, ma grand-mère avait dû accepter le fauteuil roulant que lui présentaient les gardiens. Samia l'attendait, avec son corps inerte, sur une chaise semblable à la sienne. Quelques mois auparavant, elle avait ouvert la fenêtre de l'infirmerie et s'était jetée dans le vide. Moelle épinière sectionnée. Infirme à vie. Elles étaient devenues amies.

Elle s'attaqua, enfin, aux vieux, autre catégorie négligée par une France qui n'avait pas encore généralisé le système des retraites. Dans son essai *L'Âge scandaleux*, elle leur demande de décrire l'hospice, les dortoirs à quarante, les nuits bercées par des cris, leur relégation, leur solitude après le décès du conjoint, la mansarde sans eau courante, les six étages qu'ils ne peuvent plus grimper. Elle cherche aussi à savoir comment les enfants les voient et fait circuler un questionnaire dans des écoles parisiennes. Que pensez-vous des personnes âgées ? Réponse : ils sont sales, grincheux, coléricques, ils ne servent à rien, s'ils n'étaient pas là, il y aurait davantage de place dans le monde, il faut les mettre à part, dans des maisons, des villages réservés, ou alors les pousser dans la tombe, rendre leur mort plus douce. Paroles brutes saisies aux deux extrémités de la vie qu'elle entremêle avec un humour couleur de deuil.

Le « troisième âge » inspire ses textes les plus féroces. C'est son dernier combat. Pas question de ressembler à ces femmes « grotesques, non pas femmes, mais copies monstrueuses, altérées, mimant ce qu'elles avaient été », s'insurge-t-elle. « Les rues sont ainsi peuplées d'êtres qui déjà ne sont plus, mais moi, je ne peux subir ma destruction. » Être vieux, écrit-elle encore, ce n'est plus vivre, mais attendre l'inexorable. Elle les appelle des « vivants-morts », « morts à l'amour, l'aventure, l'espoir, aux projets, aux inventions, à tout ce qui bouge ». Elle collaborait alors à *Mathusalem*, le « journal qui n'a pas peur des vieux », un fanzine féministe et gérontophile créé par Dominique Le Vaguerèse, dans la mouvance de *Hara-Kiri* et de l'antipsychiatrie. Le deuxième numéro, paru en 1976, affichait un dessin de Copi, une vieille, assise avec sa canne devant une pierre tombale, qui dit : « Qu'est-ce que j'ai envie de mourir, merde ! »

15

Au cours de la même période, il faillit y passer, sans que je le sache. De quoi ? Je l'ignore. Quelque chose au sang ou une crise cardiaque. L'événement fut tu. Je ne l'appris que bien plus tard. Comme l'âge, la maladie n'avait pas droit de cité. J'ai pourtant dû remarquer sa difficulté à se déplacer, sa fatigue, son manque d'appétit. Curieusement, je ne me souviens que de l'empressement soudain de Jean-Élie à son égard. À partir de là, il ne le quitta plus. Il régla son sommeil sur le sien, le nourrit, l'assista, lui servit de chauffeur, devint son nègre, se mit à écrire ses ouvrages savants sur la médecine scolaire, la dyslexie ou les rapports entre la psyché et le soma.

Il l'aida même à entrer à l'Académie de médecine, son ultime concours. Épreuve humiliante qui obligeait mon grand-père à surveiller la rubrique nécrologique et à partir en campagne dès que le nom d'un membre de sa section y apparaissait. Chaque mardi après-midi, il se présentait dans l'hôtel de la rue Bonaparte pour assister à la séance publique et montait péniblement l'escalier d'honneur, en s'appuyant sur son fils aîné, afin d'alpaguer quelques immortels guère plus vaillants. À son retour, dans la Fiat, il n'avait jamais salué les bonnes personnes et se faisait gronder par son épouse.

Il était maintenant couché sur le lit transformé en mouroir. À moitié nu, avec ses jambes écartées. Devant nous tous réunis dans la chambre d'un blanc d'hôpital. Jean-Élie arrangeait l'oreiller, vidait sa poche urinaire, soignait sa tache brune qui se creusait de plus en plus, pourriture attrapée dans un des services de réanimation où il avait séjourné. Lui si pudique se laissait faire comme un nourrisson. Indécence terrible qui précède la fin. Il ne parlait plus. Sa bouche affaissée tremblait et rien n'en sortait. Il était déjà ailleurs. Étendue, à son côté, elle lui lissait les sourcils, essuyait son front, inondait de larmes ses yeux étonnés, lui susurrait des petits noms, le palpait pour s'assurer qu'il était toujours là. Nous ne formions pas un tableau à la Greuze. Nous n'étions pas massés à son chevet pour assister à la grande tragédie de la mort. Pendant qu'il agonisait sans bruit, nous devions faire comme si de rien n'était.

Lorsqu'il quitta à nouveau la Rue-de-Grenelle pour un des mondes javellisés où il avait autrefois régné, il était inconscient. Elle supplia de pouvoir rester auprès de lui, expliqua que sa présence était indispensable, qu'il ne pouvait vivre sans elle. Seul, il lâcherait prise. Il s'écroulerait.

« Nous n'avons jamais été séparés, jamais », criait-elle. Elle voulut le soustraire à ses gardiens vêtus de blanc, l'enfermer une dernière fois dans son cachot, le protéger une fois de plus, elle s'agrippa à sa main glacée, fulmina contre « les patrons de mort » et leurs « dépotoirs très propres ». Mon père insista pour faire venir un prêtre. Christian demanda si un kaddish ne serait pas plus approprié.

De cette scène finale, Ariane et moi fûmes tenus à l'écart. Tout comme de l'enterrement. Pour notre bien, nous dit-on. Pour nous préserver. Je ne suis pas sûr qu'il y ait eu de véritables funérailles. En tout cas, pas de ballet réglé autour du tombeau, de fleurs sous plastique ou de derniers hommages. Je ne sais même pas où il est enterré. Peut-être à Thiais, dans l'une de ces nécropoles immenses, au sud de Paris. Plutôt que de cimetières, on pourrait presque parler de charniers, tant la mort y est anonyme.

Lui parti, elle nous regardait comme des intrus. Comment pouvions-nous continuer à gesticuler, à rire, à être là, alors qu'il n'était plus ? Nous étions coupables de vivre. Elle nous hurlait : « Allez vous amuser ! Laissez-moi crever ! » Elle refusait de se lever. Elle répétait que tout était fini, parlait de suicide, demandait de l'aide, une dernière fois, un médicament, une drogue pour abréger sa souffrance. Puis elle cacha ses pleurs et reprit sa vie d'avant ou plutôt la simula. Elle fit semblant.

Le soir, elle le cherchait des yeux. Dans le lit où elle avait enfanté, elle restait arrimée à la place qui avait toujours été la sienne. Sur sa gauche, elle ne rencontrait plus que le vide. Sur sa droite, elle voyait sa petite table noire, déserte, que chacun contournait comme une stèle de marbre et, derrière, dans l'embrasure de la porte donnant dans l'entre-deux plongé dans l'ombre, le contour de la trappe. « Je l'espère toujours caché », écrit-elle dans *Réanimensonge,* son dernier livre. Quand elle cessa de guetter son retour, elle fit détruire la cachette. Elle prétendait qu'elle n'avait plus la force de gravir l'escalier. À la place du trou, on installa un monte-charge.

GRENIER

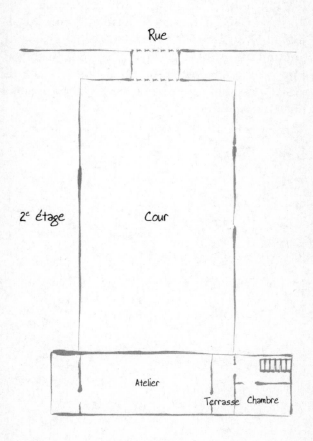

Rue

2ᵉ étage

Cour

Atelier

Terrasse Chambre

1

Je retrouvais Christian accroupi, avec sa pipe à la bouche, en train de malaxer de la glaise dans une cuvette en plastique. Il la pétrissait jusqu'à l'obtention d'une pâte fluide qui ne devait être ni boueuse ni friable, il la serrait dans sa paume et décrivait avec son autre main des mouvements circulaires de plus en plus rapides dans le sens inverse des aiguilles d'une montre. Ses gestes fébriles et répétitifs, pareils à ceux d'un derviche en état de transe, donnaient naissance à des boulettes de terre de la grosseur d'un calot. Il était entièrement concentré sur son activité, comme s'il retournait aux origines du monde. Il semblait accomplir, ou plutôt singer, le rituel immémorial d'une tribu disparue.

Similaires à de petites météorites ou à des crottes de mouton, ses productions alignées devant lui, de proportions différentes, parsemées de traces de doigts et d'aspérités, témoignaient d'un échec, de son incapacité à obtenir une sphère parfaite, comme s'il voulait illustrer l'impasse de l'œuvre d'art « à l'heure de sa reproductibilité technique ». Il en avait déjà fabriqué des milliers qu'il entreposait derrière des vitrines et marquait d'une étiquette à la manière d'un musée à vocation anthropologique. À ses va-et-vient répondaient généralement, non pas les litanies d'un chaman indien, mais la voix tout aussi hypnotique de Jacques Chancel sortant d'un transistor.

Il s'entêtait à vouloir donner forme à une matière qui en est l'ennemie. Par un rejet des entreprises durables et de la « vraie sculpture », il choisissait de préférence des substances molles, des corps limoneux, comme la pâte à modeler, qui finissaient par durcir et tomber en poussière. La plasticine recouvrant ses avions en papier partait en lambeaux. Il procédait alors à des réparations de fortune, replâtrait les trous, à l'instar d'un ingénieur aéronautique au chevet d'un Concorde qui perdrait ses lamelles en titane. Il composait aussi de mystérieux caractères cunéiformes, faisant un peu penser à l'écriture assyrienne, à partir de morceaux de sucre blanc qui, sous l'effet de l'humidité, se dégradaient à leur tour. Il livrait des batailles perdues d'avance. Régulièrement, il détruisait ce qu'il avait fait et recommençait. Il aimait l'idée du ratage, de la fragilité de l'existence, de l'impossibilité de sauver ce qui a été.

2

Il vivait à l'horizontale, tout près du plancher en contreplaqué qui lui servait de table de travail ou de palette. Les ateliers, toujours lumineux, transparents, avec leurs chevalets et leurs grandes verrières, sont tournés vers le ciel. Sous ses combles, il regardait vers le bas. Il ne pouvait se tenir debout qu'à proximité des poteaux de la charpente ou sous l'une des deux lucarnes à tabatière. Ailleurs, il courbait l'échine, prenait place sur un petit tabouret, simple trépied à traire les vaches, ou s'allongeait sur un matelas en toile rayée à la propreté douteuse qui occupait la partie inférieure du grenier. Le plus souvent, il restait blotti, prostré, comme un petit animal craintif, accolé à son radiateur à huile, au milieu d'un fouillis de papiers gras, détritus, conserves entamées, mèches de cheveux crépus, rouleaux de feuilles d'aluminium, vieux cartons, soucoupes sales, coupures de journaux, vêtements qui conservaient l'odeur des Puces où ils avaient été achetés, pinceaux aux poils durcis par de la peinture séchée. Son pandémonium empoissé de taches de couleur n'était pas sans rappeler le spectacle de désolation du studio londonien de Francis Bacon.

Il y avait aussi tous ses instruments tranchants. Ses couteaux emmaillotés dans des bandelettes blanches, tels des outils chirurgicaux datant du

Moyen Âge, suspendus au plafond par du fil de fer, et qui tombaient de temps en temps. Ses lames de rasoir montées au bout de bâtonnets rangées dans des tiroirs par tailles décroissantes. Ses planches à clous posées à même le sol, sortes de lits pour fakirs, dont le support en balsa était toujours enveloppé dans ce linge d'hôpital. Ses fourchettes, ses boules d'épingles, ses halle-bardes. Des armes disséminées un peu partout qui obligeaient chaque visiteur à se déplacer avec la plus grande prudence. Il laissait entendre qu'il lui suffisait d'actionner une poulie ou un contrepoids pour déclencher l'un de ses pièges. Enfant, Anne s'était empalée sur une broche. Le pic lui avait transpercé le mollet. Elle se souvient encore d'une violente douleur, suivie d'un senti-ment de vertige, semblable à un évanouissement.

Le lieu était à la fois terrifiant et excitant comme un train fantôme. On ne savait pas si on évoluait dans un taudis, une chambre de tor-ture ou un parc d'attractions. On était invité à participer à une expérience totale qui abolissait la frontière entre l'art et la vie. Transformé en proie, le spectateur devenait l'une des compo-santes de l'œuvre. Au bout de ce parcours semé d'embûches, on découvrait une caisse en bois suffisamment vaste pour accueillir cinq ou six personnes. Un panneau en obstruait partielle-ment l'entrée. Dans l'embrasure, une fois les yeux habitués à l'obscurité, on distinguait une poupée aux proportions monstrueuses, revêtue d'un tissu de lin maculé de peintures rouge sang et arborant le masque rieur de France Gall. La créature avait été exposée durant plusieurs semaines à la fenêtre d'un petit appartement du 14ᵉ arrondissement de Paris, rue Rémy-Dumoncel.

3

On se livrait à de drôles de duels avec un canif que l'on lançait en le tenant par la pointe. À chaque fois que nous parvenions à le planter dans le sol, nous dessinions autour de son axe un rectangle de la taille d'une main. Chacun progressait vers l'autre jusqu'au moment où nos quadrilatères recouvraient l'ensemble de l'espace qui nous séparait. Le gagnant était celui qui avait conquis le plus large territoire. Une variante consistait à jeter le couteau à proximité de l'adversaire qui devait alors placer son pied à l'endroit où la lame s'était enfoncée. Après plusieurs tours, on se retrouvait à faire le grand écart. Le premier qui abandonnait ou perdait l'équilibre était déclaré battu.

Il ne semblait marquer aucune différence entre les moments où il s'amusait et ceux, plus solitaires, où il travaillait. Il fabriquait quantité d'objets qui s'intégraient à nos jeux. Bateaux en carton, montagnes faites à partir de toile rêche et de papier mâché, édifices ou planeurs découpés dans du bois léger. Il opérait pourtant bien une distinction entre son monde et le mien. Comme un gamin pas partageur, Christian confectionnait aussi des jouets qu'il gardait pour lui. Marionnettes, pantins, figurines. Des personnages entreposés à part, au statut ambigu, mi-joujoux, mi-fétiches. Tout un bric-à-brac à la fois comique et inquiétant. Comme ces boîtes en fer-blanc, empilées le long du mur, que je n'ai jamais osé ouvrir. De peur, peut-être, d'y découvrir quelque chose sur nous.

Ariane, Anne ou moi faisions partie de ses installations. Nous avions été absorbés par son imaginaire. Nous errions dans ses légendes. Il nous avait enfermés dans des tiroirs métalliques, derrière un grillage, classés comme des représentants d'une peuplade oubliée et fait disparaître en nous exposant aux regards. Il se servait de nous comme des pièces d'un puzzle pour dresser un portrait-robot de lui-même qui était en même temps celui de tout le monde. Anne lui prêtait son lit superposé pour une bataille de polochons ; ma sœur, ses cubes en bois ; moi, mon visage, mes mains, mes gestes, mes vêtements. T-shirt rayé à manches courtes, chaussettes épaisses, culotte courte, duffle-coat, pull-over avec fermeture à l'épaule, paire de baskets. Curieux combien un simple habit peut stimuler la mémoire. Quand je les retrouve exhibés en public, chacun dans sa case, sur une feuille de carton, des images affluent aussitôt. Je me vois à mon tour à l'école de la rue Hippolyte-Maindron, aux balançoires du Luxembourg, perché sur le mur de l'impasse, courant dans le garage de l'immeuble voisin.

Il se dissimulait derrière nous. Avec d'autres enfants, j'incarnais sa jeunesse. Sur la photo, je ne suis plus moi, mais lui à dix ans. Je porte un short et un maillot qui seront à leur tour transformés en pièces de musée. Des inconnus arborant le même air embarrassé, pris eux aussi debout et de face, les bras ballants, comme sur une fiche anthropométrique, déclinent les années qui précèdent ou qui suivent. Il nous avait tous fait poser au même endroit, sur des marches du parc Montsouris. Le livre s'achève par une image de lui « à vingt ans » en chemise ouverte et pattes d'eph.

Nous étions éparpillés parmi ses inventaires truqués, ses autobiographies imaginaires. Ariane toute petite, dans son bain, tenant une fleur ou assise sur le paillasson devant la porte de la cuisine, mangeant de la bouillie au chocolat. Anne, ou plutôt Françoise, un bandeau autour des cheveux, jouant dans le sable, avec une pelle, sur la plage de Granville. Les trois frères en vacances : Jean-Élie déjà adulte, la main sur la hanche, mon père coiffé d'une casquette de marin, Christian, adolescent, regardant ailleurs. Les seules photographies qui subsistent de notre famille reposent dans de faux albums souvenirs. Elles sont camouflées, selon le principe de la lettre volée d'Edgar

Poe, parmi d'autres clichés empruntés à n'importe qui. À des gens supposés normaux, des Dupont ou plutôt des Durand.

4

À force de raconter notre histoire, de la mettre en boîte, de la tourner en dérision, de la pétrir, de la triturer, de la mélanger à d'autres récits, il disait ne plus être capable de démêler le vrai du faux. Il en venait à douter, et, par là même, nous aussi, des anecdotes, socle de notre mythologie familiale, qu'il ressassait depuis des années. Elles n'étaient plus que des éléments d'une biographie officielle présentée comme largement factice. Des matériaux d'une œuvre voulue impersonnelle, exploités sur un mode quasi sociologique. De sujets, nous étions devenus des objets interchangeables, des miroirs renvoyant le visage de chacun. Nous qui flottions sans attaches, sans ramifications, nous qui, du fait de nos origines biscornues, de nos coutumes particulières, de notre refus ou de notre incapacité à faire partie d'un quelconque groupe répertorié, pensions être différents des autres, au point de vivre repliés sur nous-mêmes, ressemblions enfin à tout le monde.

5

Le grenier donnait sur une petite terrasse en pente où le chien faisait ses besoins. Une porte-fenêtre menait à l'escalier principal et à une chambre étroite qui servait alors de remise à Jean-Élie. Après la guerre, des répétiteurs, des professeurs particuliers avaient logé dans cette pièce en longueur isolée du reste de la maison. Un Anglais, un Irlandais, et, avant eux, brièvement, un Français, professeur de latin, M. Laigle. Contrairement aux deux premiers qui effectuaient à Paris un séjour linguistique, le troisième se cachait.

La présence de ces nombreux précepteurs traduisait une autre singularité de la Rue-de-Grenelle : les enfants n'allaient pas en classe.

6

Jean-Élie est retiré du lycée pendant la guerre. Par précaution. Peur des rafles. Peur aussi des confidences qu'il pourrait faire. Lui sait. Il risquerait de parler. Un bavardage durant la récré. Une question insidieuse d'un enseignant. La langue qui fourche. Le mot de trop. Il ne quitte plus sa mère. Un prêtre du collège Stanislas vient lui donner des cours à la maison, ainsi que M. Laigle.

Un ancien militant de la SFIO, pacifiste, muni-
chois, devenu un admirateur de l'Europe nouvelle. « Il ne faut pas oublier que le parti nazi est
avant tout socialiste », aime-t-il à répéter entre
deux déclinaisons. Un maître exigeant qui lui
donne le goût des humanités, des langues, de
grands auteurs comme Ovide ou Tacite.

Quelques jours après la naissance de Christian,
il arrive en courant, Rue-de-Grenelle, le visage
décomposé. Il s'effondre devant ma grand-
mère : « Le comité de libération du lycée veut
me faire la peau ! » Il crie au malentendu, jure
de son innocence, la supplie de lui donner asile,
juste quelques jours, en attendant que l'orage
passe. Elle accepte. Après tout, la cachette est
libre. Son époux vient tout juste d'en sortir.

Dans un premier temps, ils l'installent dans la
petite chambre du deuxième étage. Ils le traitent
en invité. Ils partagent avec lui leurs réserves alimentaires quasiment épuisées, malgré la faim
qui les taraude. Lors d'un déjeuner, ils sont réunis dans la salle à manger autour d'une conserve
de sardines à l'huile quand ils aperçoivent un
policier en uniforme dans la cour. Sans s'être
concertés, le maître de maison et son convive
bondissent ensemble sous la table. Le gardien
de la paix frappe aux carreaux. Jean-Élie va
lui ouvrir. L'homme se plaint de douleurs au
ventre. Il demande à être ausculté : « On m'a
dit qu'il y avait ici un médecin. »

Au bout de deux semaines, M. Laigle les

remercie et quitte les lieux. Ils n'entendent plus parler de lui.

7

En octobre 1944, après quatre ans d'absence, Jean-Élie retourna au lycée Louis-le-Grand. Il passa son bac l'année suivante.

La paix revenue, Luc suivit un cursus tout aussi erratique. Il manquait la classe plusieurs mois par an, parfois un trimestre entier, généralement le deuxième, celui qui va de décembre à février. Quand, par miracle, il assistait aux cours, ses professeurs lui reprochaient d'être ailleurs. Ils se demandaient s'il n'était pas atteint par une forme de crétinisme. Sa surdité ne fut décelée qu'à l'âge de quinze ans.

Christian refusait d'aller à l'école. Sur le chemin, il s'accrochait aux réverbères en hurlant comme si on le traînait à l'abattoir. Après une instruction primaire intermittente et chaotique dans différents établissements catholiques du quartier où il était traité de « petit rabbin », il fut déscolarisé une bonne fois pour toutes autour de sa dixième année.

Pour l'un comme pour l'autre leur mère invoqua des ennuis de santé et brandit des certificats de complaisance établis par son mari les déclarant plus ou moins inaptes aux études.

Elle vomissait tout ce qui lui rappelait son enfance, corps enseignant compris. Souvenirs de piquets et de coups de règle où institutrices et marraine se confondaient. Elle haïssait ceux qu'elle surnommait les « tortionnaires diplômés », avait en horreur programmes, règlements, emplois du temps. Elle se méfiait de l'État et de ses représentants. Elle était surtout rétive à une institution qui soustrayait ses fils à sa propre autorité et, plus grave encore, qui les éloignait d'elle. Le temps scolaire était son pire ennemi.

Elle se transforma en maîtresse. Elle enfermait les siens dans sa chambre forte et leur apprenait les tables de multiplication en les pinçant quand ils commettaient une faute. Bled à la main, elle partit en guerre contre leurs orthographes déficientes. Elle leur faisait réciter de longues listes d'exceptions comme on psalmodie un rosaire. À la longue, elle en fit son métier. Elle devint orthophoniste. Elle rééduquait surtout des enfants bègues ou dyslexiques. Je fus l'un de ses patients les plus assidus. Pendant des années, chaque mercredi après-midi, je prenais place à côté d'elle, derrière la petite table de Grand-Papa, face à un tableau noir à trépied. Je saisissais une craie blanche dans la gouttière en saillie du chevalet et, sous sa dictée, traçais d'une main hésitante des mots conçus comme autant de traquenards dans lesquels je m'empressais de tomber.

Les trois frères vivaient en vase clos. Ils n'avaient pas d'amis. Ils restaient trop peu de temps dans le même bahut pour nouer des liens et hésitaient à introduire un corps étranger dans leur antre.

Livrés à eux-mêmes, ils se donnèrent des lois, un président, un parlement. Leur République était fragile. Le plus petit jouait le putschiste. Il fomentait des coups d'État, envahissait des territoires, régnait sur des alignements de tables et de chaises. L'autre garçon, plus âgé, incarnait le révolutionnaire. Il dressait des barricades et entretenait une agitation permanente. Leur grand frère servait d'arbitre. Il représentait la chambre haute, négociait des paix toujours passagères, veillait au bon déroulement des élections, rendait la justice avec fermeté à l'issue de procès publics. Les toilettes abritaient la prison. Une barrière pour enfants, déployée en accordéon dans l'encadrement d'une porte, faisait office de guillotine.

Luc élevait toutes sortes de bestioles. Lapin, tortue, chat, chien. Surtout des pigeons. Pas ceux de la rue, gris et sales, mais leurs cousins plus nobles : des colombes diamant, pigeons paon à la queue en éventail, tourterelles à tête grise et à l'habit moiré de rouge. Des couples, à l'exception d'un pigeon capucin au col d'hermine, qui, forcément, roucoulaient à longueur de journée, en dodelinant de la tête, dans un incessant va-et-vient. Pour leur permettre de s'ébattre, il transforma la terrasse en volière. Il recouvrit d'un treillis métallique la seule partie de la maison à l'air libre. Dans leur parc grillagé, les oiseaux cohabitaient avec les autres bêtes. Non sans drame. Dès que des plumes arrivaient à portée de ses incisives, le lapin les rongeait. Il entraîna, un jour, une tourterelle dans son terrier et l'étouffa. En hiver, par grand froid, Luc rapatriait sa ferme aux animaux dans sa chambre. L'armoire où reposaient ses sept volatiles était blanchie par les fientes. L'odeur ne l'indisposait pas plus que les piaillements.

9

Malgré son prénom d'esclave affranchi, Christian-Liberté ne quittait jamais sa famille. Il pouvait passer des heures à ne rien faire, sans ouvrir la bouche. Pour l'occuper, Jean-Élie l'emmenait partout avec lui. L'enfant l'accompagnait à la Sorbonne et restait sagement assis dans l'amphithéâtre à attendre la fin du cours. Chez lui, il regardait la télévision avec sa grand-mère, jouait par terre avec ses soldats de plomb et s'inventait des histoires. La cachette, ce trou noir et sale où il n'avait pas le droit d'aller, l'obsédait. Elle était la preuve, à ses yeux, que la Rue-de-Grenelle recelait des horreurs ou des merveilles. Il creusait les murs à la recherche de trésors. Dans sa cage, rien ne lui était interdit. Tout était possible, hormis être ailleurs.

L'enfermement favorise-t-il la créativité ? L'imaginaire se développe-t-il plus aisément dès lors qu'il n'est pas confronté au réel ? À treize ans, le benjamin, à l'aide de pâte à modeler, insufflait déjà la vie à quelque Golem quand le deuxième lui déclara : « C'est joli ce que tu fais là. » Il regarda différemment la chose informe qu'il tenait entre ses doigts et, du modélisme, glissa vers un mode de représentation pictural. Il se mit à composer des tableaux de plus en plus grands sur des panneaux en contreplaqué. Pendant qu'il peignait des massacres d'innocents et des villes incendiées, l'aîné lui enseignait l'histoire ou l'anglais. Il finit par acquérir le savoir d'un griot.

À tout hasard, il se présenta à la première partie du baccalauréat réservée aux épreuves orales. Ses parents ne nourrissaient guère d'espoir sur ses chances de réussite. La veille des résultats, ils eurent la surprise d'entendre la voix de M. Laigle au téléphone. Le professeur de latin n'avait plus donné signe de vie depuis la Libération. « Votre fils a eu son examen », leur annonça-t-il, avant de raccrocher. Il faisait partie du jury. Peut-être le présidait-il. Christian, qui n'a jamais passé l'écrit, est convaincu qu'il doit son demi-diplôme à la bienveillance d'un ancien collabo.

Intrigué par son engouement pour la peinture et incapable d'en juger la valeur, son père l'envoya voir André Breton. Son ancien condisciple du lycée Chaptal reçut l'adolescent chez lui, dans son atelier du boulevard de Clichy, parmi ses masques et ses fétiches. Il lui dit : « Vous avez l'air très gentil. Ne devenez pas artiste. Ils sont tous méchants. C'est un sale milieu. »

10

Luc fut le premier à sortir du cercle magique tracé autour de la couche rédemptrice. Vers quinze ans, il réclama d'avoir la chambre du haut. Exigence inouïe. Quitter la casemate où les siens se retranchaient chaque soir équivalait à proclamer son indépendance. À partir à l'aventure. Il s'exilait extra-muros. Il emménageait dans un lieu où sa mère n'irait jamais, où elle ne pouvait pratiquement pas accéder, à moins d'entreprendre une ascension périlleuse en s'agrippant à une vieille corde retenue par des anneaux métalliques qui tenait lieu de rampe et ondulait le long de l'escalier. S'installer au deuxième étage, c'était comme avoir un pied dehors.

Têtu, remuant, tourmenté de caractère, il aspirait à un espace monadique et individuel. Dans son nid d'aigle, il entreprit de recevoir des amis. La première fois qu'il invita une fille, sa mère se posta en bas des marches et cria d'une voix grave et moqueuse, de sa voix de louve travestie en vieille dame : « Ça sent la chair fraîche ! » Effet garanti : il attendit longtemps avant d'oser accueillir à nouveau une personne du sexe opposé.

Il commença à marcher seul dans la rue. Il se rendait dans des cafés du Quartier latin qui lui semblaient situés à l'autre bout du monde. Il abandonnait sa vie d'anachorète pour retrouver un groupe. Le sien. Philippe, Guy, Alain, Jean-Jacques, Monique. Il les réunissait, dans une arrière-salle, autour d'un petit fascicule ronéoté à la main. Un cahier de poésie qu'il avait baptisé fort opportunément : *Sortie de Secours*. Chaque exemplaire contenait un bulletin d'abonnement, ordinaire (600 francs) ou de soutien (1 000 francs), à renvoyer à son adresse, rue de Grenelle – Paris 7e.

Depuis son adolescence, il consacrait son temps à lire et à écrire des poèmes. Des vers arrachés à son enfance inquiète, rythmés comme des comptines, qui parlaient de fusils, de mutilés et d'un petit orphelin juif.

11

Ils ont brûlé mon papa
Ma maman l'ont éventrée
Son cadavre est resté là-bas

Près du bourreau près de la roue
Près du four et près du couteau
Près des clous et contre la boue
Le poumon, les plaies et sa joue

Avec ses bagues ils ont fait des dents dorées
Pour que de blanches grasses jeunes filles
mangent de la saucisse

Avec son sang ils ont fait de l'engrais
Pour que tant de braves gens boivent de la bière
au carnaval de Munich

L'orphelin juif a mal au visage
L'orphelin juif connaît trop de paysages

Le boulanger était un des bourreaux
Le receveur d'autobus était un des jurés
Le garde du jardin public tenait le chalumeau
Et la bouchère riait aux éclats
Devant ma maman déchirée

Le sourire, le sourire
C'était deux minutes avant de mourir !

Avec sa graisse ils ont fait du suif
Avec son sang ont fait de l'engrais
Ils ont oublié un orphelin juif
Et qui les hait et qui les hait

12

Je suis tombé sur un numéro de *Sortie de Secours*, constellé de moisissures, en vidant le domicile de ma mère après son décès. L'appartement qui occupait le premier étage d'un immeuble haussmannien de la rue Philibert-Lucot était déjà sens dessus dessous, comme s'il avait subi un cambriolage. Pièces sentant la tombe. Meubles vides tournés de travers cherchant repreneur. Vêtements promis à Emmaüs, entassés à la va-vite dans des sacs-poubelle. La brochure se trouvait dans une bibliothèque en acajou dont le contenu avait échappé à la razzia effectuée le matin même par un libraire. Outre le bulletin d'abonnement, elle renfermait deux tracts pliés, jaunis par le temps, conservés pendant un demi-siècle, tels des billets doux.

Le premier – titré « Soldat : où sont tes ennemis ? » – appelait les conscrits servant en Algérie à l'insoumission.

```
  Au nom de ton devoir de Français et
d'homme libre :
  — Refuse de participer aux massacres
organisés, aux exactions, aux tortures
de résistants algériens.
  — Respecte les prisonniers ou les
« suspects » arrêtés et traite-les comme
tu aimerais être traité ! Ils ont le
```

droit de vivre, de manger et de boire
au lieu d'être battus, torturés ou tués.
— Résiste à la poussée des éléments
fascistes de l'armée et contre le rôle
d'assassin qu'on t'oblige à jouer. Tant
que tu continueras, les soldats de l'Armée de libération nationale seront obli-
gés de dresser des embuscades pour
libérer leur pays.
— Lutte ici pour ta libération et
celle de l'Algérie !!!
— Nous te soutiendrons !

Le texte se réclamait d'« un groupe de jeunes
Français » comptant dans ses rangs des insoumis
et des déserteurs. Dans la marge de la feuille,
quelqu'un – était-ce ma mère ? – avait écrit une
sorte de note de bas de page ne renvoyant à
rien, sinon, peut-être, à un jugement rétrospectif
sur cet épisode de sa jeunesse : « l'humilité les
maladresses la morne obstination… »

Le second communiqué n'était pas destiné à
être rendu public. Il recommandait « un travail
patient d'agitation et de provocation » afin de
susciter dans l'opinion française « une certaine
forme de psychose ou de scandale ». Pour parvenir à un tel but, son auteur préconisait d'élargir
le cercle des conjurés :

Nous devons engager le plus de personnes possible dans notre combat clandestin, notamment des gens à qui on
peut filer du matériel de la main à la

```
main. Ils ne risquent rien car ils ne
font rien d'autre. Que chacun constitue
un fichier de ses copains susceptibles
d'être intéressés.
```

Tracteurs, colporteurs, colleurs d'affiches
devaient repérer les lieux correspondant à leur
cœur de cible – « amphis, pensions, cités universi-
taires, écoles, cinémas, restaurants U » –, attendre
23 heures avant d'apposer des papillons ou de
dessiner des graffitis sur les murs, éviter de taguer
à proximité de leur domicile, tout taper à la
machine, y compris l'adresse figurant au dos des
enveloppes. Un guide du parfait propagandiste.

```
   Et surtout, nous faire parvenir un
rapport périodique sur le détail de
toutes ces activités. Chiffrer le maté-
riel diffusé et que chacun nous ren-
seigne exactement sur les différents
lieux où il a été écoulé… Utiliser les
pseudonymes sur le rapport.
   Merci et fraternellement,
   Christophe
```

Qui était Christophe ? À coup sûr, un alias.
Caractères typographiques et qualité de papier
identiques, phrasé et présentation analogues.
Tout laissait penser que les deux lettres émanaient de la même source indiquée en exergue
sur la circulaire interne : « MAF, Mouvement
anticolonialiste français. Groupe Dimitrov ».

13

Ils ont toujours entretenu le mystère autour de leur engagement comme s'ils n'en étaient jamais complètement sortis ou en redoutaient encore maintenant les conséquences judiciaires, malgré les amnisties successives. « Nous faisions du soutien », se contente de dire mon père. Il prétend que son rôle se limitait à distribuer la littérature du mouvement, selon le *modus operandi* décrit plus haut. « Ta mère était beaucoup plus active que moi », répète-t-il, sans être plus précis. Ils s'étaient rencontrés lors d'une réunion du groupe Dimitrov tenue dans un troquet de la rue de l'École-de-Médecine, La Fourchette, rebaptisé depuis Bistrot 1. Au sein du réseau, chacun portait de faux prénoms. Elle se faisait appeler Sophie ; lui, je ne sais pas. Elle se rendait parfois à Bruxelles. Transportait-elle des messages ? De l'argent ? Le petit studio sous les toits qu'elle occupait, rue de l'Abbé-Groult, dans le 15e arrondissement, servait de boîte aux lettres et de refuge à des camarades algériens.

Elle hébergeait un dénommé « Mustapha Le Noir ». Elle apprit par la suite qu'il était le chef de la fédération de France du FLN. L'homme ne fut pas capturé chez elle, mais dans un autre pied-à-terre, impasse des Deux-Anges, à Saint-Germain-des-Prés. Au cours d'une opération menée durant la nuit du 9 au 10 novembre 1961, les agents de la DST arrêtèrent une trentaine d'activistes. Soit la quasi-totalité de la direction du FLN en métropole et une quinzaine de Français. Le lendemain, mes parents retournèrent rue de l'Abbé-Groult pour brûler tous les documents qui s'y trouvaient et, convaincus d'avoir déjà la police aux trousses, cherchèrent un lieu où se mettre à l'abri.

Luc pensa à l'entre-deux. Le trou avait beau être trop petit pour accueillir un couple, il le fit nettoyer au cas où. Il n'imaginait pas vraiment trouver refuge à deux pas du lit maternel. Surtout avec une femme à la chair bien fraîche. Alice Nuchi, la grande amie de la famille, proposa de les cacher. Ils se terrèrent pendant deux mois dans une soupente dont elle n'avait pas l'usage, rue de la Folie-Méricourt. Je vins au monde l'été suivant. Si mes calculs sont exacts, je fus donc conçu dans ce que le jargon résistant ou criminel appelle communément une planque.

14

Je succombe en dernier. Du moins, on le suppose. Dans la dernière séquence, je suis à moitié dévêtu et je regarde dans le vide, en mangeant des lambeaux de papier peint à fleurs arrachés au mur. Un drap jeté sur un berceau recouvre ce que l'on imagine être le corps de ma petite sœur. Je suis désormais seul dans l'appartement. Notre mère a disparu. On comprend qu'elle a été emportée à son tour. À aucun moment, on n'explique pourquoi elle a décidé de se barricader chez elle et de se laisser mourir de faim avec ses deux enfants.

Au début, tout paraît normal. Elle fait semblant de m'attendre devant l'école avec Ariane âgée de deux ans à peine. Il fait chaud. L'été approche. Je me mêle aux élèves qui sortent de la cour en rang par deux. À cause de la présence de la caméra, ils me regardent comme une bête curieuse. Je rougis en les entendant chuchoter derrière mon dos : « C'est un acteur. » Le cartable que je porte en bandoulière est vide. Je suis affublé d'une casquette de marin breton que je m'amuse à jeter en l'air sur le chemin du retour.

À peine a-t-elle refermé la porte d'entrée que ma mère la condamne avec des planches et des clous, abaisse les persiennes, tire les rideaux et sert le dîner devant la télévision qui ne renvoie qu'une image vacillante et granuleuse. La vie continue, comme si de rien n'était. Les jours suivants, elle dépose sur la table recouverte d'une toile cirée un gâteau d'anniversaire et des cadeaux, puis elle lit un magazine, donne un bain à Ariane dans une bassine en plastique, me contemple d'un air absent faire des grimaces à ma sœur.

Une fois les provisions épuisées, son visage devient plus sombre. Elle ne quitte plus sa chaise en Formica. Je m'agite autour de son corps immobile, je crie famine, retrouve mes réflexes de nourrisson. Gros plan de moi tétant les seins de ma mère. Des seins asséchés comme une fontaine défunte. La mort arrive. On ne la voit pas. On se contente de deviner sa présence.

Le tournage se déroulait dans la cité Gabriel-Péri, à Saint-Denis. Christian avait loué un F3 au septième étage d'une barre HLM. Ses premiers courts métrages avaient été réalisés sans aucun moyen. Cette fois, il disposait d'une petite équipe – un caméraman, un assistant, un éclairagiste – et d'un véritable script. Intitulé « Reconstitution des 45 jours qui précédèrent la mort de Françoise Guigniou », le film s'inspirait d'un fait divers et reflétait aussi ses propres peurs. Grâce à l'argent du CNC, il aurait pu recourir à des acteurs professionnels. Pour raconter cet enfermement, ce suicide familial, il avait préféré puiser parmi les siens.

15

Mon père m'avait aménagé une chambre au grenier, tout au fond, derrière les statues à clous, les couteaux suspendus et les empilements de métal de Christian. Un renfoncement situé dans le prolongement du bâtiment de droite. Presque un pavillon individuel avec son faîtage pentu

et sa fenêtre carrée. Il avait tout fait lui-même.
L'étagère. La loggia où je dormais. L'échelle
en bois qui y conduisait. La table à tréteaux.
Le panneau coulissant faisant office de porte.
Exilé dans la partie la plus reculée de la maison,
j'étais comme aux confins désertés de la Terre.
La nuit, j'entendais le cri d'un chat-huant pro-
venant d'un jardin voisin. J'avais l'impression de
squatter l'une des cabanes dans les arbres que
nous construisions en vacances à Désertines.

Éclairé par une lampe à pince dont l'ampoule
s'agrémentait d'un petit chapeau conique en
métal, je ressassais toujours le même scénario.
Je réfléchissais aux moyens d'échapper à un
ennemi anonyme. Je guettais les bruits suspects
dans la cour et je concevais des plans d'évasion
chaque fois plus alambiqués. Je ne disposais que
d'une seule issue : le toit que je pouvais facilement rejoindre par la lucarne. De là, j'imaginais
que je me laissais glisser le long d'une gouttière
jusqu'au parc adjacent et ses arbres peuplés de
rapaces nocturnes. Je pouvais aussi attendre
que les assaillants pénètrent dans le grenier et
tombent dans quelques pièges pour sauter sur
la terrasse et dévaler l'escalier quatre à quatre.
Il me restait une dernière option : apposer une
fausse cloison à l'entrée de ma chambre et me
faire ravitailler au travers d'un trou d'aération.

Chacun a essayé de s'échapper à sa manière. Cet espace clos, plongé dans le silence, rétif à tout rituel, iconoclaste et achronique généra des rangées de boîtes de biscuits, des milliers de planches-contacts, quelques livres d'histoire et des études sur la phonétique ou les rapports aux autres.

Une part de moi souhaitait une vie sans murs. Si le danger commence au coin de la rue, pourquoi ne pas pousser plus loin ? Une fois le porche franchi, je me sentis capable de traverser n'importe quelle frontière. Dans le cadre de mon service national, je partis vivre au Caire. Je travaillai au *Progrès égyptien*, un journal local aussi décati que le monde cosmopolite, levantin et francophone dont il était issu.

Un prêtre plus ou moins défroqué dirigeait la rédaction. Une Italienne quasi centenaire consacrait l'essentiel de son temps à nourrir une horde de chats hirsutes avec des morceaux de mou qu'elle semait un peu partout. Une pianiste arménienne veillait avec un certain laxisme au bon respect de la langue française. La critique de cinéma était à moitié aveugle. Un chirurgien s'occupait à ses moments perdus du courrier des lecteurs et, en l'absence de ces derniers, pour la plupart morts ou exilés depuis des lustres, remplissait sa rubrique avec des lettres qu'il rédigeait lui-même. Les questions auxquelles il s'empressait de répondre étaient généralement d'ordre médical.

Trois mois après mon installation, Mère-Grand me rendit visite avec Jean-Élie et Anne. Elle était là, tout en étant ailleurs. Elle se tenait immobile dans la chambre d'un grand hôtel impersonnel donnant sur le Nil. Ni consentante ni résistante. Passive, pour la première fois. Comme si elle s'était retirée d'elle-même. Un pur esprit. Libérée enfin de son propre corps.

À cette époque, le réseau téléphonique égyptien marchait très mal. Je pouvais recevoir des communications de l'étranger, mais pas passer d'appels. Pour joindre l'international, il fallait se déplacer à la poste du quartier de Mounira, un lieu bondé en permanence, secoué par un vacarme assourdissant et tenu par des fonctionnaires extrêmement tatillons qui maniaient leurs tampons encreurs comme des armes de guerre et, aussi, une source complémentaire de revenus. Un jour, je composai le numéro de la Rue-de-Grenelle. À l'autre bout du fil, Jean-Élie m'annonça d'une voix polaire que sa mère était morte. Morte et enterrée depuis des semaines. Personne ne m'avait prévenu.

J'ignore quel mal l'a emportée et si elle a souffert. À mon retour à Paris, je retrouvai sa chambre intacte mais vidée de toute trace humaine.

REMERCIEMENTS

Je tiens à manifester ma gratitude à Henri Nahum qui m'a permis de mieux comprendre le sort des médecins juifs durant l'Occupation, et à Frédéric Gugelot dont les travaux sur la conversion des intellectuels au catholicisme m'ont été fort utiles.

Je veux témoigner aussi ma profonde reconnaissance à Manuel Carcassonne et à Alice d'Andigné, ainsi qu'à Éric Aeschimann et François Reynaert.

Je remercie enfin Emma, Anne, Ariane, Luc, Christian, Jean-Élie pour leur aide et leur patience.

DU MÊME AUTEUR

Aux Éditions Stock

LA CACHE, 2015 (Folio n° 6230).

Aux Éditions Grasset

MINERAIS DE SANG. Les esclaves du monde moderne (photographies de Patrick Robert), 2012 (Folio Actuel n° 156).
CHIRAC D'ARABIE. Les mirages d'une politique française (avec Éric Aeschimann), 2006.
LES SEPT VIES DE YASSER ARAFAT (avec Jihan El-Tahri), 1997.

Composition Nord compo
Impression Maury Imprimeur
45330 Malesherbes
le 05 décembre 2016.
Dépôt légal : décembre 2016.
Numéro d'imprimeur : 213995.

ISBN 978-2-07-046871-3. / Imprimé en France.

294679